JN062002

Playing to the Gallery

Helping contemporary art in its struggle to be understood

Grayson Perry

Playing to the Gallery:
Helping contemporary art in its struggle to be understood
by Grayson Perry
Original English language edition first published by Penguin Books Ltd, London

Cover art by Grayson Perry

Japanese translation rights arranged with Penguin Books Ltd, London
through Tuttle-Mori Agency, Inc., Tokyo

みんなの
現代アート

大衆に媚を売る方法、
あるいはアートが
アートであるために

グレイソン・
ペリー 著

ミヤギフトシ 訳

イラスト：グレイソン・ペリー

目 次

＊本書は、Grayson Perry, *Playing to the Gallery: Helping contemporary art in its struggle to be understood* (Particular Books, 2014/Penguin Books, 2015) の全訳である。

＊〔　〕は訳者による補足説明を表す。

＊美術作品名は《　》、書籍名、雑誌名、映画タイトル、TV番組タイトルは『　』、展覧会名、論文タイトルは「　」で示した。定訳がある美術作品名については日本語タイトルを記したが、それ以外のものは検索の便を考慮して原語タイトルを記載した。ただし、必要に応じて（　）で日本語訳を補足する場合もある。

おいくら?!

大衆文化としての現代アート

現代アートがいまや大衆文化となったことを私に知らしめたのは、ＢＢＣのRADIO4で六〇年以上放送され続けている、アヴァンギャルドを育む土壌もないイングランド中部の地を舞台にしたソープオペラ『The Archers』だった。

転機を感じさせたのは、舞台となる架空の村アンブリッジの文化大使的役割を自ら引き受ける村人リンダ・スネルが、トラファルガー広場のフォース・プリンス〔第四の台座。広場にある四つの台座のひとつで、他の台座とは違い何も設置されていない〕で進行中だったアント

観光バス客向けモダニズムは1を、
階級を揺さぶるおしゃべりは2を、
若者向けアジプロは3を、
企業イベント向きのスペクタクルは4を
押してください

テート・モダン

ニー・ゴームリーの《One and Other》〔参加型のパフォーマンス作品。フォース・プリンスにひとり一時間ずつ、参加者を立たせた。一日二四時間、一〇〇日間にわたり続けられた〕に、村の誰かを立たせようと試みたことだ。リンダ・スネルが現代アートの「ファン」だったとして、それが意味するのは勝利か敗北か、それは見方次第だろうとその時私は考えた。参加型パフォーマンスアートの作品が、どちらかといえば保守的な大人気ラジオドラマで大きく取り上げられたのならば、現代アートはもう遠い僻地のカルトではない。大衆文化の一部に他ならないのだ。

アートとそれを鑑賞することに関して、豊かな教養と歴史的知識がないと楽しめない作品があるのではないか、そのような不安を覚える人も多いだろう。しかし、ここであなたに覚えていてほしいメッセージがあるとしたら、それは誰もがアートを楽しめるし、誰でもアートの世界に生きることができるということ……。そう、こんな私ですら、エセックス出身でトランスヴェスタイト〔女性の服に身を包む男性であるペリーのように、文化的・社会的なジェンダーの服装規範や慣習に当てはまらない人〕の陶芸作家である私ですら、アート界のマフィアは受け入れてくれたのだから！

いくつか疑問を投げかけてみよう——そして私が答えよう！　それは私たちがアート

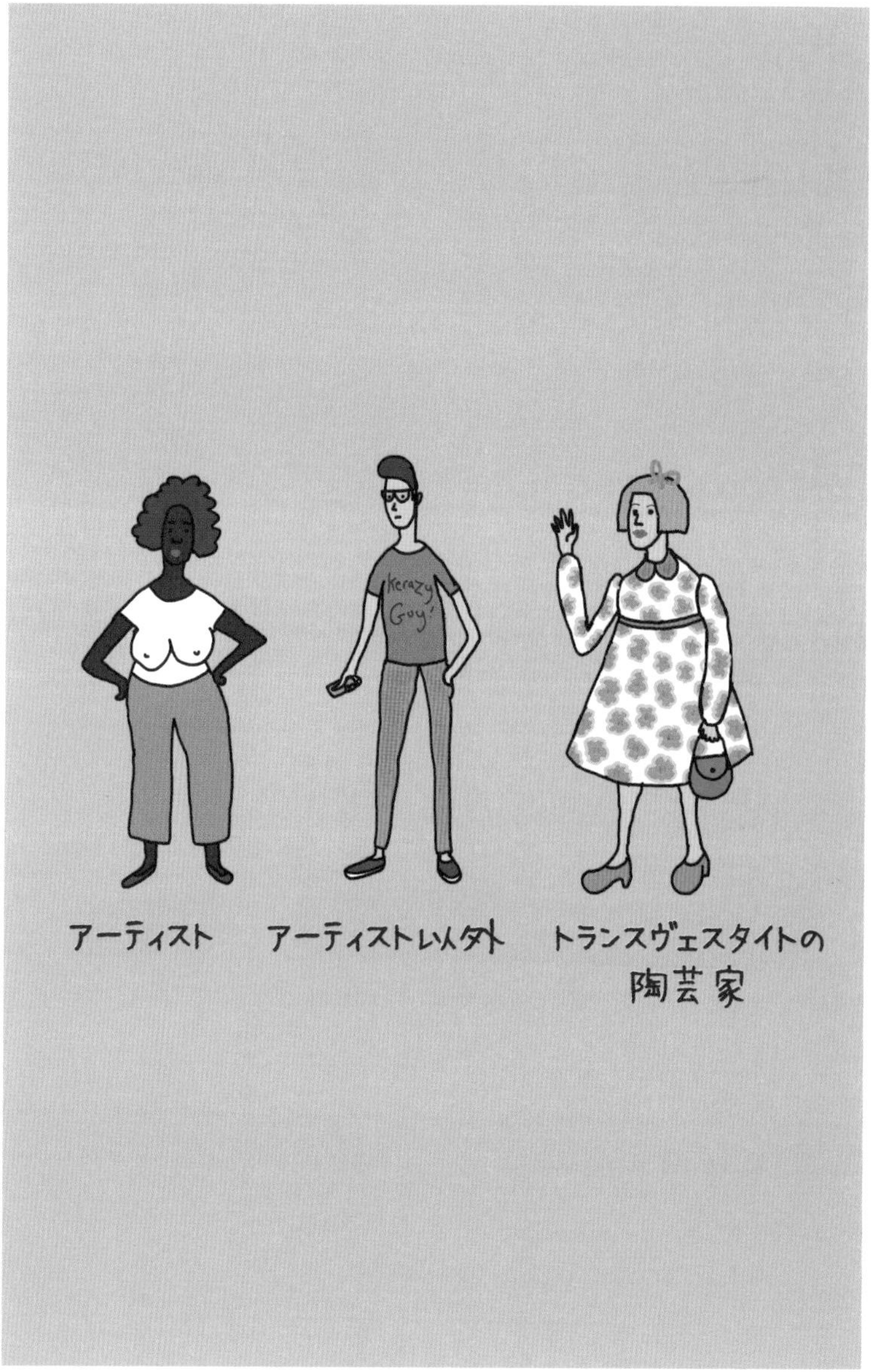

アーティスト

アーティスト以外

トランスヴェスタイトの陶芸家

ギャラリーに入った時に思い浮かべる基本的な疑問でありながら、人によっては聞くのは無作法ではないかと思えるようなものだ。そんなことはないのに！　それらは的外れな疑問で、すでにすべて回答済み、あるいはみんながすでに答えを知っている、そんな風に思うかもしれない。それも違う。アートの世界は人びとからの疑問を常に必要としており、そのような疑問をもつことこそ、アートを楽しみ理解する助けにもなるのだ。誰もがアートを楽しみ、そしてアーティストになれると私は強く信じている——どんな間抜けも貧民も、誰かと共有したいヴィジョンさえあれば。社会の認定も、所属すべき階層も必要ない。実践と、励まし、そして自信があれば、あなたもアートとともに生きることができるのだ。そのために、本書で私はその基本を提示できたらと思う。それは簡単に、あっという間に達成できるようなことではないけれど。ショッピングとは違うのだから。

アート界とは何か

金儲け目的でアートの世界に入る人などほとんど存在しない。その多くは作品をつくり出したいという衝動に駆られていたり、それらを鑑賞すること、他のアーティストに出会うことが好きだったりする人びとだ。つまり彼らは多くの場合情熱的で好奇心旺盛、そして繊細な部類の人間。親しみやすい人たちに見えてきたでしょう! アートの世界は過ごしやすい場所なのだ。ほら、どうぞこちらへ! しかし、そこには困難もある。富とセレブリティとタダ酒ばかりの世界ではない。途方もない時間と労力、そして心痛が必要とされるが、それに見合う、わくわくするような世界でもある。過去二〇年ほどで、大衆の多くもそのことに気づきはじめた。テート・モダンを見ればわかる。年間五三〇万人もの来場者が足を運ぶ同美術館はイギリスにおいて一番、あるいは二番目に高い集客力を誇る観光地であり、世界第四位の人気を得ている美術館だ。リオのセントロ・カルチュラル・バンコからマドリードのソフィア王妃芸術センター、ブリスベンのクイーンズランド近代美術館に至るまで、世界中の美術館で開催されている現代アートの展覧会は常に数十万ものアートファンを集めている。アートはこんなにも人気があるのに、それでも私たちの多くはギャラリーに入ることに関して二の足を踏んでしまう。特にコマーシャルギャラリーは、私ですらいまだに威圧的に感じる場所だ。受付には恐ろしいほどに上品なお嬢様たちがいて、輝くほど高級なコンクリートがどこまでも敷き詰められ、謎めいた物体の数々を取り囲むうやうやしい沈黙がある。そしてもちろん多くの場合大仰すぎて不明瞭な、アートにまつわる言語のことも忘れてはならない。

初めて現代アートのギャラリーに足を踏み入れ、すぐにすべてを理解しようなんて、クラシック音楽について何も知らない私がクラシック音楽のコンサートを聴いて、「うん、ただの騒音ですね」と言うようなものだ。作品に困惑し、怒りを覚えることもあるかもしれないが、ふさわしいツールをいくつか身につければ、それを理解し楽しめるはずだ。理解しはじめる域に到達する過程は、しかしながら少々複雑で、頭ではすぐに理解できたとしてもそれを感情的に、そして精神的に受け入れるには長い時間を要する。大事なのは、ともに過ごすこと。そのことを忘れないでほしい。

毎日のように白紙や陶土の塊に対峙し、「さてどうしようか」と文字通り自問し続ける現役のアーティストである私が現代アートに対してもつ疑問は、アート界のコメンテーターたちがもつ疑問とは別種のものだと信じたい。私が働く場所は文化の採掘場そのものだから。とはいえ、私たちの時代はすっかりサービス経済に支配されており、私は実のところ文化のコールセンターで働いているだけなのかもしれない。

また、私は広い意味では熟練者とみなされないかもしれないが、ひとりの実践者として、

クリエイティヴ産業のいくつか
左から時計回りに、企業スピリチュアリティ、
カウンターカルチャー製造所、世界の不同意有限会社

多くの研究者たちが罪悪だと考えるであろう自叙的な語りも、本書では分析に取り入れたい。私自身の個人的な経験の記憶から、アートの世界について、ある種の普遍的な考えを導き出すために。そうすることで、ここで語られることが近代・現代アートに遭遇したことがある人だけでなく、自分たちのスタジオでひたすら塗ったり削ったりを繰り返す他のアーティストにとっても有益なものになるはずだと願っている。

最後に、私の言う「アート界」とは何だろうか。まぁ、私が「アート界」について語る時に意味することは西洋型のファインアート、つまり美学に関連した、あるいはそれが欠如した物品を取り巻く文化のことだ。私がここで語るのはビジュアルアートだが、そのすべてが視覚的なものではないことについてもいずれ触れよう。本書が取り上げるのは、テート・モダンのような美術館、あるいはロンドン中、そしてその他先進国に散らばるコマーシャルギャラリーで目にするようなものだ。皆さんもそのような作品をコレクターの家や路上、病院の中、環状交差点の中心、ライブイベント会場、時にはサイバースペース上で見かけたことがあるかもしれない。同時に、より広いアートの現場、展覧会のオープニングやフリーズ・ロンドンやアート・バーゼルといった巨大アートフェア、そして一〇〇年続くヴェネチア・ビエンナーレのような国際展で、簡単に遭遇できる儀式や人びとのことについても語りたい。

私がアート界と呼ぶ、不可解で意地悪なサブカルチャーの地が生み出したものごとに、興味をもって、あるいは偶然、一般市民が触れる機会も多くなった。三五年ほどその地に身を置く部族の一員として、私が愛してやまないそれらのものごとを形づくる価値観やその行為について、皆さんに説明しようと思う。

以上が、本書を『Sucking up to an Academic Elite（アカデミックエリートにごまをする）』ではなく『Playing to the Gallery（大衆に媚を売る）』〔原題〕と名付けた理由だ。

1

民主主義は趣味が悪い

クオリティとは何か、
私たちはそれをどう判断するのか、
誰の意見を取り入れるのか、
そもそもそれはもう
意味をなさないのか？

GAGOSIAN
MOMA
TATE
GUGGENHEIM
WHITE CUBE
HAUSER & WIRTH
この辺りも昔はおしゃれだったんだけどね

アート界は歴史的に見ても閉じられたサークル活動になりがち、つまり内向きであり続けた。実際、アート界は大衆人気に対して強い抵抗感をもち続けているように私は感じる。アーティスト、美術館、批評家、ディーラーとコレクターで構成されたそのサークルは、世間の善意に基づいた意見を必ずしも必要としていなかった。しかし現在はその風潮も変化し、大衆人気が美術史の道筋に影響を与える可能性も出てきた。美術館はいまだに（かろうじて）アート界の原動力になっている場であり、公的資金を得続けるためには来館者数を稼がねばならない。より多くの観衆を集められるアーティストが、殿堂の中でも良い席を保持できることが多くなってきている。

もちろん、大きな成功を収めながらも大衆を必要としないアーティストも多い。彼らにしてみれば、アーティスト、ディーラー、そしてコレクターの閉じられたサークル内ですべてが完結する。より広い観客の承認は必ずしも必要ないのだ。賃金を払ったり、自尊心を高めてくれるわけでもない大衆に、作品の良し悪しを判断してもらう必要はアーティストにはない。そしてこれは、アートを取り巻く問題の中で最も激しく炎上しやすい、クオリティの問題へとつながってゆく。それが良いものであると、私たちはどう判断するのか、現在つくられるアートを判断する評価軸は何か？　そして誰が私たちに、良いアートというものを教えてくれるのか？　きっと、それが何より重要なことなのだ。

申し訳ないが、それに対する単純な答えはない。私たちはどんな作品に対しても断定的で強い意見をもった、確かさの妄信者であるべきだと思われるかもしれない。しかしその判断方法の多くは大きな問題を抱えており、アートの価値を測る基準も矛盾していることが多い。なぜなら、そこには経済的価値があり、人気、美術史的重要性、そして美学的教養というものがあって、それらは互いに対立しがちなのだ。

何が「良い」アートなのか？

振り返ってみると、クオリティというものについて考え始めたのは、美大に入って二年目の頃だった。一九八〇年当時、パフォーマンスアートをかじってみることはお決まりのコースだった。ライブで行われる類のパフォーマンスアートには、大抵アーティスト自身がパフォーマーとして登場した。基本を押さえるためにも、パフォーマンスアートを少し試してみることは、そう、避けては通れなかった。

だから私も、三部からなるちょっとしたパフォーマンスを披露した。第一部で、私は貞操帯を身につけた導師となり観客から崇められるようにした。第二部は「art」が「rat＝ネズミ・卑怯者」のアナグラムであることをふざけて論じながら、学内のある派閥（マルキシスト）の薄っぺらな知性を嘲ったレクチャー、第三部はその前週あたりから投票を募っていた学内のベストアーティスト、ベスト講師の結果発表だった。校内に投票箱を設置し、すべては民主的に執り行われたが、もちろんそれはおふざけであり、投票者たちもそれが私によるものだと知っていたので同じようにふざけて私に投票し、そして私は見事ベストアーティストとして選出、賞品として自分でつくった巨大な頭、祝祭感溢れる巨大なハリボテの頭を手にすることとなった。それが、私の輝けるキャリアにおける初めての賞だった。

そのパフォーマンスから学んだことがふたつある。まず、観客の参加についてはほとんど期待できないこと、そしてクオリティの判断はとても困難だということ。ある講師はその後私に、「面白かったけれど、あれが良いアートであったかはわからない」と言った。

校内で投票を受け付けたのはおふざけのようなものだったが、それでも当時私はすでにクオリティの判断というものが非常に複雑な作業であることを認識していた。人気者であ

これがアートじゃないなんて

〔「I Can't Believe It's Not Butter」という植物性のバター代用品がある〕

ることが、つくる作品のクオリティの高さを意味するわけではないのだ。実のところ、アート界においてそのふたつは対極にあると考えられている。

二〇一二年にイギリスで最も人気だった、そして世界でも五番目に人気を博した展覧会を例に取ってみよう。それはロイヤル・アカデミーでのデイヴィッド・ホックニー展だった。「A Bigger Picture」と題された、巨大なわかりやすい風景画が並ぶ展覧会で、入場料が必要だったが人びとはお金を払ってでも観に行った。その展覧会のオープン直後、ある現代アートギャラリー（入場無料の公的施設であることも記しておこう）のディレクターと話をしていたら、彼女が思うにホックニー展はそれまで観てきた展覧会で最悪のものだったという。そう思った人は彼女だけではないはずだ。まるで、この国の人びとの嗜好を洗練させることを生業にする人間の嗜好には、そのような人気取りの展覧会はそぐわない、とでもいう風に。つまり、良いアートに対する大衆の認識を押し広げようと努力する人間にとって、観客の多さと彼らの嗜好というものは悩みの種でしかない。

　コマール&メラミッドという、一九九〇年代中頃に活動していた悪戯好きの愉快なロシア人アーティストふたり組がいた。彼らは人気という概念をすっかり文字通りに解釈し、いくつかの国々で世論調査の場をつくり、人びとがアートに求める一番のことは何かを明らかにしようとした。そして、その調査（それはプロの世論調査員によって取り仕切られた）の結果を受け、それに即した絵画を描いた。その結果は驚くべきものだった。ほとんどの国で人びとが求めていたのは、数人の人物が散らばり、前景に動物がいる、全体的に青っぽい風景画だったのだ。なんと哀しいことだろう。その経験を経て彼らは、「自由を求めていたはずが、見つけたのは奴隷制だった」と述べた。

　（近年テート・ブリテンで開催されたローレンス・スティーヴン・ラウリー〔一八八七年生まれの画家。工業地帯の風景を描いた作品群で知られる〕の展覧会も、その高まる人気に屈服するかたちで開催されたものだと見ることができる。ラウリーこそアートにおける人気VS高尚の象徴的存在であると、おそらく誤解も込みで長らく認識されており、展示の機会が少ないのではないかという不満も多く聞かれた。テートはT・J・クラークとアン・ワグナーという威厳ある美術評論家にキュレーションを依頼し、彼の大衆人気に知性の艶めきを施そうとした。彼の似たり寄ったりの作品群が、例えばマーク・ロスコの継続的な作品群と同じくらいの信頼を得られるのか、それはまだ誰にもわからない。）

「美しい」にご注意

展覧会に訪れた客、例えばホックニー展の観客がアートのクオリティを判断する際、彼らは「美しい」などという言葉を使うかもしれない。しかし、そのような言葉をアート界で使おうとする時は細心の注意が必要だ。相手は舌打ちし、嘆かわしく首を振るだろう。なぜなら彼らの英雄的アーティストであるマルセル・デュシャン（小便器が人気の彼だ〔市販されている小便器をそのまま作品として展示した。作品名は《泉》〕）が、「美的な快楽は危険なので避けるべきだ」と言っていたから。作品をその美的価値で判断することは、性差別、人種差別、植民地主義、そして階級特権が幅を利かせる、すでに信用を失った時代遅れのヒエラルキーに今さら投資するようなものだ。美しさの概念は複雑であるが、そもそも私たちの考える美しさとはどこから来たのだろう？

プルーストは、「私たちは、凝った黄金の額装の向こうにしか美しさを見出せない」という趣旨のことを言っている。彼が意味するのは、私たちが何かを美しいと認識できるように環境が完璧に整えられているということだ。私たちが美しいと考えるものは、美しさの本質を宿しているわけではなく、私たちが何かに感化され慣れてゆくことで、それを美しいと認識しているだけなのだ。美しさとはつまり、既知の概念にさらなる安心感を与えてくれる、既視感のようなもの。それは、流動的な層の上に成り立つ構造物でしかない。私たちは、友人に「あぁ、これはなんて美しいんだ！」と宣言する行為だけで、さらなる美しさを何かに付与することができる。ほら、休暇中の旅先で私たちがしたいことといえば、ガイドブックで既に見た風景を写真に撮ることだけではないか。完璧な青空の下でひとり、マチュピチュに立っていたいのだ。家族、友人、教育、国籍、人種、宗教と政治――それらすべてが、私たちがもつ美しさの概念の形成に影響している。

一九五〇年代の有名な美術批評家クレメント・グリーンバーグのように、「甘さのために砂糖を、酸っぱさのためにレモンを選択するように、アートの良し悪しを選択することはできない」と感じることもあるだろう。しかし、舌にある味蕾と違い、私たちの美的な味蕾は変化することもできる。

私たちが消費する文化について語る時、周りからこう見られたいという願望に振り回され、てんてこ舞いをすることも多い。私たちが何を楽しむかによって、私たちは形づくられるのだから。現在の音楽の好みを友人とシェアするため、自分が「はいこれ必聴」状態になるたび私は身震いしてしまう。相手はそれを聴かなければならないし、私は自分の魂そのものが否定されることを恐れる。いつだって、何かについての悪口を言う方がそれを賛美することよりも安全なのだ。

自分の美的選択を他人がどう考えているのかという不安は、モダニズムのDNAに刻まれた自意識の一部と言えるだろう。ここで言う「モダニズム」とは、一九七〇年代に至る一〇〇年間に生み出されたアートのことだ。アーティストたちが自分たちのしていることに疑問を抱き、不安になっていた時代。自分たちは、伝統や流儀に流されているだけではないはずだ、と。自意識というものはしかし、アーティストを縛りつけるものだ。私は子

おぉ!
これはクレバーだね、
まるで写真みたいだ。
こんなふうに上手に
描けるように
なりたいな

初期のチャック・クロースの
ドローイングは良いよね。
ほとばしる美術的才能、
そしてその努力の
空虚な無意味さが
見て取れるし

どもの頃、ヴィクトリア朝時代の物語絵画が好きで、それ以来ずっと自分の好みを正当化するためにさまざまなねじれを生み出すことになる。ウィリアム・パウエル・フリスやジョージ・エルガー・ヒックス〔ともにヴィクトリア朝時代の画家。前者は群集をパノラミックに描いた絵画、後者は牧歌的な女性像などで知られる〕の絵画が私は好きだった。それはなぜだろう? 答えは品の良い職人芸と社会的背景をもち、仕立ての良い服を着た彼らがとてもイギリス的だったから。

そして長い年月をかけたさまざまな紆余曲折を経て、それらが好きであることを正当化していった。最初の頃は「彼らも彼らの時代にはモダンだった」とか「好きっていうのは皮肉も込めてだよ」「今だからこそ新しい」などと再発見を気取り、その後は「彼らは人気を得すぎた」などとうそぶいていた。そして突然、お洒落かつ排他的な人びとの間でそれらの作品人気が再燃する。そして私は、「なんてことだ、もう変な嗜好をもつのはやめよう。ヴィクトリア朝の物語絵画が好きだなんて、まるで流行に乗っているみたいじゃないか」と自分に言い聞かせた。

あるいは一三歳の頃、そのわかりやすい技巧からハイパーリアリズム〔題材を細部まで緻密に、まるで写真のように描き出す技巧的な絵画表現の流れ〕の絵画を好んでいた。美大に入って、自分が時代遅れであることを知った。私はその嗜好も乗り捨てることになるが、アートを見続けてきて四〇年、私はリチャード・エステスのようなハイパーリアリズムの作家が今も好きだ。しかしそれはその詩的な佇まい、それも美術史上の一九六〇年代時点における美しさの枠組みを考慮した場合のみだ。

嗜好について調べてみてわかったことのほとんどは、アートの嗜好にも通じるものだった。違いといえば、一九世紀以降のアート界においてそれが、必然的に忌まわしいほど自意識過剰なプロセスにならざるを得なかったこと。アーティスト、あるいはキュレーターとしての私たちの役割は、色や形、素材の関係、思考、そしてアーティストや時代を選別してゆくことだ。カーテンを買おうとした場合、誰もが自分が好きなものを選ぶだろうが、その際に「好き」が何を意味するのか自身に問いかけたりはしない。

しかしそのような自問自答は、こんにちアーティストであることの必要条件であり、何をどのようにしてつくるかだけでなく、アートと呼ばれるこの営みは一体何なのか、常に自分に問いかけ続けなければならない。アーティストの役割がどんなに困難か、おわかりいただけただろうか。

アーティストとして同業者からのプレッシャーに耐えつつ、自分自身の判断を信じる能力は必須だが、そのプロセスは孤独で不安に満ちたものでもある。その不確実さにくじけそうな時に現れるのが「戯言生成機」だ。それは認知心理学者のスティーヴン・ピンカーが名付けた私たちの精神の働きで、知らないこと、完全に理解できないという事実を受け入れられないこと、例えば「良いアートとは何か？」などという答えのない問いに直面した際に、気まずさを隠すために私たちの脳が戯言を生み出す、というものだ。

不安定かつ主観的な美のあり方が、美的に受け入れやすいと私たちが考えるもの、それも経験から説明できるようなものを求めさせる。なんて愚かなのだろう、と私は思う。ここで、哲学者ジョン・グレイを引用しよう。「もしも人間の理性が科学的理論であるならば、それはとっくに論破され打ち捨てられていただろう」

二一世紀におけるアートの公式

心理学者のジェームス・カッティングが近年行ったいくつかの研究は、あるイメージを見せ続けるだけで、人びとがそのようなイメージを好むようになることを立証している。印象派の絵画を写した写真を用いた一連の実験で、被験者たちが、それによく似たもの、あるいはより有名な絵画よりも、定期的に見せられた絵画を好むことも発見している。彼の結論は、書籍や新聞、雑誌やテレビなどで特定のイメージが繰り返し見られることで、私たちの文化において古典とされるものの価値が保たれている、ということ。ドガ、ルノワールやモネといったアーティストたちの作品画像を定期的に、高尚な文化資本の文脈上で目にしていれば、私たちはそれらを美しいと感じざるを得ないのだ。当然だろう。

しかし、ことはそう単純ではない。絶大な人気を誇りながらも批評家からは酷評されていたアメリカ人画家トーマス・キンケードの安っぽい作品と、一九世紀の巨匠ミレーの作品とを並べた、他の心理学者たちによる実験がある。それは、繰り返し見せることで被験者たちが明らかに巨匠の作品を好むようになったというものだ。もしかしたらこの実験は、私たちが見て反応する、形式上のクオリティが作品に内在していることを証明しているのかもしれない。あるいは、良いアートを見続けていればそれを好きになるし、悪いアートを見続けていれば反対のことが起きるというだけのことなのかもしれない。

これらの実験結果にはばらつきがあり、私はいまだに懐疑的だ。何世紀もの間、素晴らしい美術作品とは何か、実証に基づく説明を多くの人が受け入れてきた。古代ギリシャ人は黄金比を見つけ、それが美的調和を生み出すと説いた。画家のウィリアム・ホガース〔一八世紀、ロココ時代のイギリスの画家〕は、S字型の「美の線」を提唱し、自らの絵画に取り入れることでそれらの作品が美しいものであると証明しようとした。名作を生み出そうとする試みの中で私が最も好きなものは、「ヴェネチアン・シークレット」だ。一七九六年、ロイヤル・アカデミー・オブ・アーツの会長だったベンジャミン・ウエストが、「ヴェネチアン・シークレット」を見つけたという何者かに騙された。それは、ルネサンス時代にティツィアーノやヴェネチア派の画家たちが使った神秘的な何か、理想的な美しさの絵画を生み出す公式だという。それが記されたという古文書を何者かがベンジャミン・ウエストの元に持ち込んだ。彼はそれが本物であると信じ込み、公式を元に絵画を描きはじめそれが作用することを願ったが、その後ひどい失笑を買うことになる。

しかし私はこの男に少し同情もしている。私自身も少々研究をして、現代のアート界で成功を収めるための公式を見つけたから。それは、左の図の通りだ。

ほら、これが二一世紀のアートにおける理想の公式。なぜなら、実証に基づいたアートを測る物差しとはつまり、マーケットに他ならないのだから。この公式によれば、セザンヌの《カード遊びをする人びと》こそ世界一美しく愛すべき絵画だということになる。

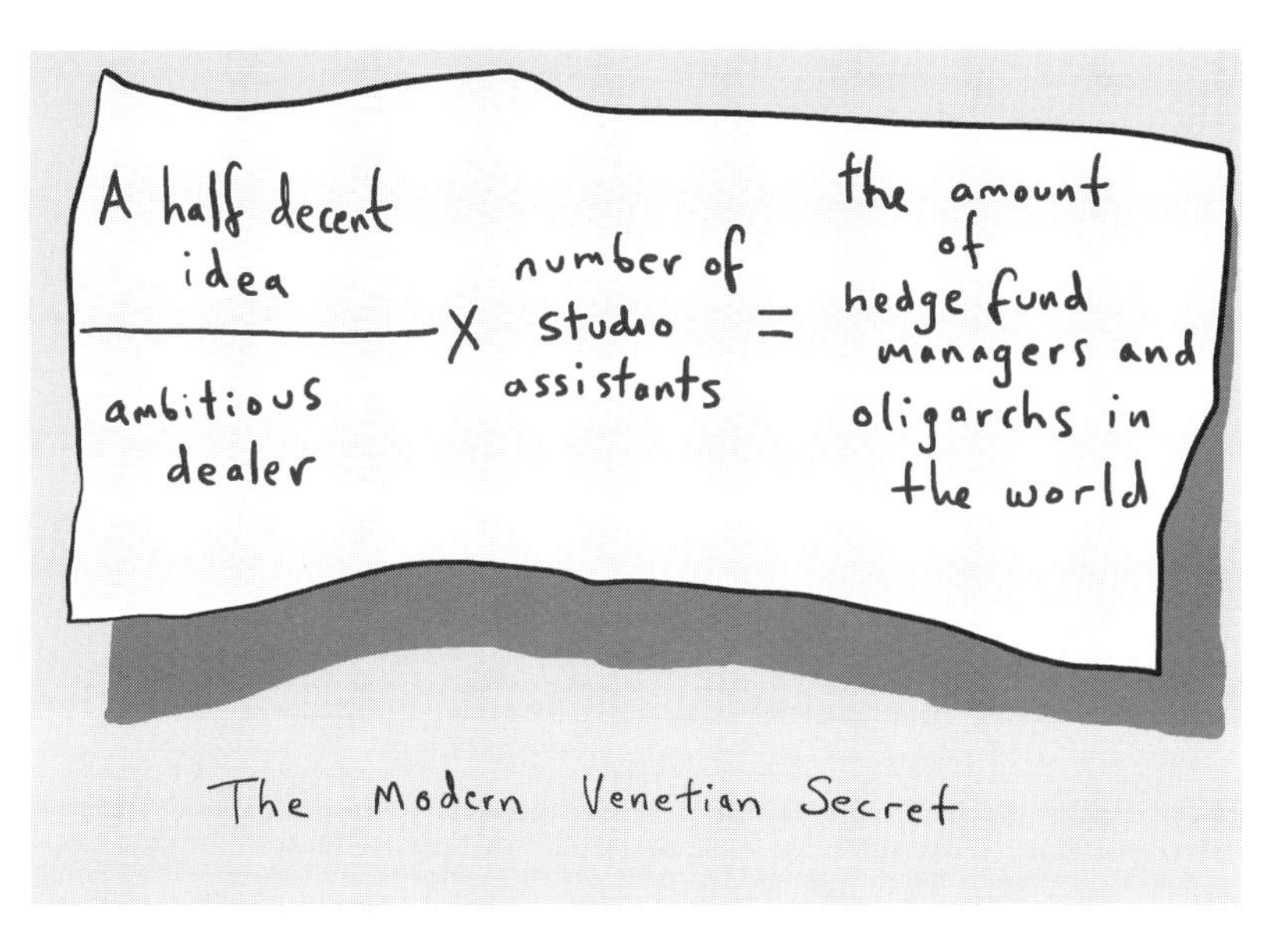

現代のヴェネチアン・シークレット
（中途半端なアイディア÷野心的なディーラー）×
スタジオアシスタントの数＝世界のヘッジファンドのマネージャーと権力者の総数

少々不格好で悪趣味に見えるが、そう思うのは多分私だけなのだろう。だって、二億六〇〇〇万ドルもの価値があるのだから。

金銭的価値だけが作品の重要性を決定づけるわけではないが、人びとは大量のお金に感銘を受けやすいので、大抵の場合その他の意味は駆逐されてしまう。ムンクの《叫び》のパステル画——油彩ですらない——が一億二〇〇〇万ドルの値をつけた時だって人びとは大騒ぎだった。

美術なんて今やただの投資対象であって、ストーリーテリングやマスコミュニケーション、境界を押し広げるなどという役割はなくなった。ひねくれ者ならそう言うかもしれない。ただ大きくて乱雑な、壁に貼り付けられた現金の塊でしかない、と。もちろん、アートはアートのためにあるのだという反対意見も存在する。しかし誠実さなど暮らしの糧にならないことを踏まえれば、そのような立場をとることは非現実的だ。クレメント・グリーンバーグは、アートは純金製のへその緒で現金と常につながっていると記している。私もその点については現実的な立場をとる。私が好きな引用文のひとつに、ニューヨークのマンション群のエレベーターに入る作品でなければアートの世界で成功することはないだろう、というものがある。

それと、コマーシャルギャラリーが展覧会を企画し作品の値段を決める際、彼らは作品の質ではなく、作品のサイズを基準にする。大きな絵画は小さな絵画よりも高いのだ。大変興味深い理論だと思う。しかし、大きい絵画が良い絵画というわけではない。見てきた経験からいえば、アーティストのつくった最も大きな作品が最高傑作である例はほとんどない。セカンダリーマーケット、つまりオークションの場ではそれが周知の事実であり、たとえどんなに小さくても、良い絵画が常に最高額で競り落とされる。

クオリティを測る別の方法には、笑ってしまうようなものもある。サザビーズに勤めるフィリップ・フックによれば、赤い絵画の売り上げが常に一番良くて、その後に白、青、黄色、緑、黒と続くのだという。しかしもちろん、古くて赤い絵画なら何でも最高額がつくというわけでもない。サザビーズのようなレベルのオークション会社に行き着いたという事実そのものが、すでに認められたアーティストによる作品であることを証明しているのだから。

　その認定こそ、クオリティについて考える時に核心となる点であり、なぜ特定のアートが他のアートよりも良いものであるとみなされるのかを理解する上での鍵となる。少なくとも、ほとんどの美術館やギャラリーから、中心部に彫刻が置かれがちな環状交差点までをも含む、アート界の大部分においては。認定のプロセスで重要なのは、誰がその認定を行っているのか、誰が良い評価やお金を与え、時間をかけてそれについて熟考し、誰が特定のアーティストや作品に価値を与えているのか、ということ。このドラマに登場する人物は多い。アーティストにコレクター、教授、ディーラー、批評家、キュレーター、メディア、それと、そう、多分大衆も。

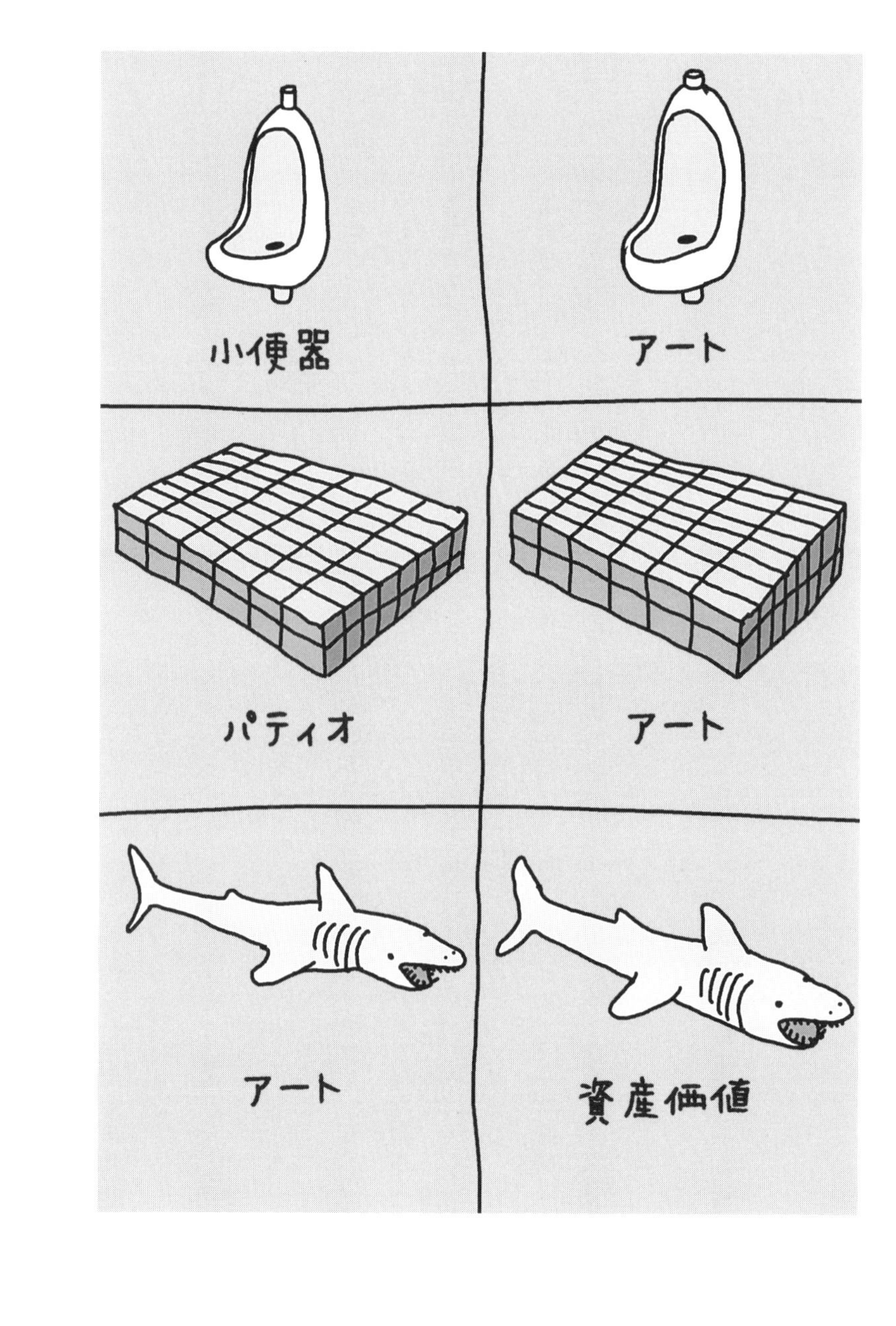
小便器
アート
パティオ
アート
アート
資産価値

アートにのしかかる重たい総意

彼らが形づくるのは、何が良いアートなのかという、なんとも素敵な総意だ。かつて、《Lovely Consensus（素敵な総意）》という陶器作品をつくったことがある。私の作品が行き着くべき人物や施設の名前を五〇、完璧なCVをつくるかのごとくディーラーに挙げてもらい、それらの名前が装飾のようにあしらわれた陶器作品を、ターナー賞の展覧会で発表したのだ。陶器に記した名前のひとつはダキス・ヨアヌーというとても有名なアートコレクターのもので、彼はテート・ギャラリーでその陶器を目の前にしながら電話で購入を決めた。どのアーティストにも有用な豆知識ではないだろうか。自分の作品のどこかに、有名なコレクターたちの名前を書いてみるのも手だよ、と。

テートの館長だったサー・アラン・ボウネスは認定には四つの段階があると言う。同業者、次に真面目な批評家、次にコレクターとディーラー、そして大衆による認定。最近はそれよりも少々複雑になっている。もちろん、認知されることは今も大変重要だ。同業者からの認定は素敵な賛辞となる。陶器をつくりはじめた頃、友人のアーティストたちはそれらを見て、「陶器?!」と困惑気味だった。それが「おぉ！　陶器か、なるほどね。うん」となって、それから長らく、私は「アーティストの中のアーティスト」だった。つまり、貧乏だった。

　クレメント・グリーンバーグのような批評家がアーティストの運命を左右する時代は終わった。批評家の高評価は良いものだし、アーティストは誰もが酷評の文言を一語一句正確に朗読できるようになるべきだろうが、活字というものは今やアート界に溢れるたくさんの声のひとつでしかない。

　認定を行うもうひとりの登場人物がコレクターだ。あなたがアーティストなら、きっと重鎮コレクターに自分の作品を買ってもらい、作品に箔を付けたいと願っているはずだ。一九九〇年代、チャールズ・サーチ〔世界有数のアートコレクター。自身のコレクションを展示する美術館サーチ・ギャラリーを有する〕が展覧会場の敷居を跨いだだけで、もうあなたの成功は約束されていた。メディアの熱狂を背に彼は中に入り、そしてすべての作品を吸い上げてゆく。

　もちろん、高名なコレクターが有する大量在庫の一部になったところで、凡庸な作品は凡庸なままだ。裏返せば、コレクターは所持するアートによって社会的地位を買うこともできるということ。彼らの資産はインチキで稼いだものかもしれないが、一流の、あるい

左上から、評論家／コレクター／
キュレーター／ディーラー／アーティスト

は難解で文化的に高尚なアートを買うことによって、かつてのパトロンたちがカテドラルの礼拝室に資金を援助することで自らのイメージを磨いたように、彼ら自身も洗練を得ることができる。

認定の合唱で次に聞こえてくる声はディーラーだ。

有能なアートディーラーなら、尊敬される大家たちと同列に並べ関連づけるだけで、あるアーティストの評価を一変させることができる。若き才能にとって、有名作家が所属するギャラリーで展示することは、その恩恵を受けることでもある。二〇一二年、メガ・ギャラリーのホワイト・キューブ〔ロンドンに二店舗展開するコマーシャルギャラリー」でまだ卒業もしていないエディー・ピークという作家の展覧会を観た。彼は自身の作品を、評価の確立した中堅作家であるゲイリー・ヒューム、そして老齢の巨匠チャック・クロースの作品と並べて見せていた。

名声はさまざまな要因で剝がれ、そして付着する。コマーシャルギャラリーにとって、政治的なパフォーマンスや巨大なインスタレーション、吐き気を催すような映像作品などを制作するアーティストは、多くの場合お金につながらない存在だ。それでも、彼らのようなアーティストが集める先鋭的な支持によって、ギャラリーという場所はメガブランドの品々が並ぶギラついたブティックに他ならないという批判を薄めることはできる。

ディーラーはまた、あなたの作品がどこに行くかを調整し、作品がしかるべき、立派なコレクションに「入る」ことに注力する。作品にとって最良の場である公立の美術館は、私立の館と比較して予算も少ないので、それなりのディスカウントがなされる。有能なディーラーはコレクターを慎重に見極めており、悪趣味なコレクターには作品を売らないようにしている（悪趣味なコレクターはやめておいた方がいい）。あるいはその「フリッピング」の手腕でその名を轟かせているかもしれない。フリッピングとは、入手困難な作品を購入し、すぐにそれをオークションで販売し差額分の利益を得るというもの。ディーラーは、アーティストの評価と作品の行き先に絶大な影響力をもっている。それはどこか不明瞭なプロセスで、多くの人はうまく理解できていないはずだ。ディーラーはあなたの作品の行き先を決め、そうすることで得点を重ね、熱狂を巻き起こし、そのまま上昇気流に乗せる。販売を拒否されたコレクターはといえば、そもそも与える得点ももっていないだろうが、かなり気を悪くするだろう。

有能なディーラーは作品を売るだけではなく、アーティストを売り込み、そして文脈化する上でも重要な役割を果たす。最近は大規模なアートフェアがアートの主戦場となっており、それらは新たな認証役にもなっている。それらのフェアが好むのは、継続して展覧会を企画し、積極的に認証プロセスに関与するディーラーであり、つまりは単なる……えぇと、ブティック店主ではない。

そしてもちろん、何が良いアートかを決める上で私たちが考慮すべき次の集団が大衆だ。一九九〇年代中頃から、誌面やテレビで現代アートの作家を見ることが増えた。メディア露出の結果としてアーティストが得た人気は、インテリ層からすればみっともないものだろう。人気が認定のプロセスに介入すべきでなく、アートにおいて人気者になることはインチキ以外の何でもないと彼らは考える。しかし、入場者数は実証的にクオリティを測るもうひとつの指標である。美術館は来場者数を稼がねばならず、よく知られた人気者の名前がもつ通貨価値はどんどん上がっている。アート関係者向けの雑誌『The Art Newspaper』は毎年、入場者数だけに焦点を絞った特集冊子を発行している。それこそが施設の存在意義だと言わんばかりに。展覧会にたくさんの人が来るということ、それは測定可能な事実であるから、もちろん資金集めも正当化できるようになる。

ターナー賞を受賞した時、私はすでに二〇年以上アート界に幽閉されていて、賞が私のキャリアに与える影響についてかなり懐疑的だった。一〇年が経ち、私は考えを改めた。

こんにち、アート作品に与えられる最大の称賛は、「ミュージアム・クオリティである」という言葉だろう。かつて、得点を与えてくれる最も強大な存在は依頼人、文字通り一国の王だった人びとであり、法王であり、そして上流階級や富裕層の人びとだった。しかし現在、認定に関わる者たちの相関図のトップに君臨しているのはキュレーターだろう。ドイツ人美術批評家ウィリー・ボンガルドは彼らを「アートの法王たち」と呼び、それほどの権力をもっているのだと言う。だからこそ、そこには守らねばならない倫理がある。彼らはプロとして自らが関わる領域内で目にした作品を、収集したり自分のプライベートコレクションのために購入したりしてはならない。彼らは強大な力をもつ立場にいるから。

キュレーターの脳内を基にした美術館マップ

近代の巨匠たちの
「革新的」再評価

真に悪趣味なコレクターから
もらった
作品

ビエンナーレでの
酔っ払いの会話

私の館に手っ取り早く
国際的な名声を
与えてくれてギフトショップで
グッズを売れる有名な
作品十数点

労働者階級の
人々が
好きそうな
「キラキラ」した
アート

願わくばドラマティックな
過去(どうか感動的であれ)を
もつまだ知られていない
マイノリティのアーティストによる作品

我々のわずかな
公的資金で
買えるホットな
アーティストたちの
代表作でもない
小さな作品

テレビが取りあげたり
トラベルガイドのサイトに
掲載されるような
巨大彫刻

「ミライ」っぽく
聞こえるアイディア

前任者はなぜこんなゴミを買ったんだ?

私が博士論文に
書いたこと

例えば彼らがある特定のアーティストの作品を買い、「そうだね、Xの個展をそろそろ美術館でやるべきじゃないかな」と言って、そして「変だな、テート・モダンでの個展以来、Xの値段が鰻登りだ」なんて状況を生み出すことも可能なのだ。

私は、認定のプロセスとはある程度自己修正可能であると考えるようにしている。しかし、けばけばしいコレクターまがいが誰かの作品、キラキラに磨き上げられた作品を買い上げ、それらの置き場所が武器商人の家々だったと想像してみてほしい。きっと頭の良い人たちは冷たい視線で言う、「あぁ、Xはどうしちゃったんだろう。ちょっと低俗に過ぎないか」と。そしてそのような、ずいぶん薄情で、大変有意義かつ重要な集団である識者たちによれば、作品は(a)売れ残る、そして(b)見ることができなくなる。なぜって、正直なところ元々退屈な作品だっただろうから。そして、もしもすでに大衆の人気を得てしまったと言うのなら、どうかあなたに神の御加護を。

彼ら認定役との出会いが作品やアーティストに箔を付け、その蓄積によって評価は固まってゆく。無数の会話やレビュー、ゆっくりと上昇する価格などの要素によって濾過されることで、アート作品から古典が生まれる。こんにち公立美術館に収蔵されるようなアートは、大衆の投票によって決まるわけではない。複数回に及ぶ――内覧会、他作品の購入歴、そして世界中のフェアなどといった非公開の審査も含む——審査の場を経て、作品に訳知り顔の頷きと、意味ありげなウインクが送られる。そのようにして築かれた総意が重要なのは、新鮮かつ明晰な視点をもっていると自負できる人間がアート界にはほとんどいないから。つまり、人びとの総意に頼ることなく、そしてラベルの名前を読まなくても、作品の質の高さを認識できる人間が。そしてその総意の重みが、アート作品にずっしりとのしかかる。もしもあなたがルーブルで《モナ・リザ》を観たとしても、世界一有名な絵画という期待が大きすぎるが故に、感じるのは落胆だけだろう。しかし、もし偶然あなたがその前を通っただけなら、「わぁ、なんて素晴らしい絵なんだ」と感じる可能性もある。

国際アート英語の誕生

もちろん、築き上げた評価が長続きするかどうかはまた別の問題だ。二〇〇三年のヴェネチア・ビエンナーレのキュレーションを担当したフランチェスコ・ボナミは、本物のように精巧な人物像をつくることで知られる作家の名前をとって「ドゥエイン・ハンソン症候群」という言葉を生み出している。それについて彼はこう述べている。「アートにまつわるひとつのセオリーとして、作品が完成した瞬間の重要性に関係なく、埃が積もるだけのアートもあれば、箔が重ねられてゆくアートもある。ドゥエイン・ハンソンは今や埃まみれだと思う。ある特定の時代につくられた彫刻作品があって、それがかつて重要だったとしても、今や埃だらけになっている。箔も剝がれ落ちてしまった」

成功したアーティストに対する総意はいずれ固まってゆくだろうが、願わくばその総意は常に、さまざまな文脈上で再考されるべきだ。しかし、この総意の本質は何だろうか。アートに重なる箔とは何だろう。人びとがアートに振りまくこのキラキラした何か、私たち誰もが欲しがるクオリティを塗布してくれるこの何かを、煮詰めてみたらどうだろう。大抵の場合、残るのは「真剣さ」だ。それこそ、アート界で最も価値ある通貨だ。私がターナー賞を取った時、報道陣が最初にした質問のひとつが、「グレイソン、あなたはおもしろキャラ、それとも真剣なアーティスト?」だった。

私の答えは、「両方じゃだめかな?」だった。ジョークはさておき、私はアーティストとして真剣に向き合ってもらうことを望んでいる。トレンディかつオシャレであることが脅威でしかないのは、いつかオシャレでなくなることが避けられないから。真剣さは違う。真剣さを付与しそれを守る方法が、言語化という行為だ。民俗学者のサラ・ソーントンは著書『現代アートの舞台裏——5カ国6都市をめぐる7日間』において、母語が英語でなかった前任者の在任中、『Art Forum』(『Art Forum』はアート界において歴史ある雑誌だ)の誌面は悪い意味で読みづらくなった、という編集者の言葉を引用している。一方でアート界は、日常的なわかりやすさを恐れがちだ。以下は、私が二〇一一年のヴェネチア・ビエンナーレでノートに取った壁面の解説文だ。

「A Common Ground」は、現代ウルグアイのアート制作の現場において情動性が中心的回路であり続けているという事実に基づいている。本展はその概念にまつわるふたつの、対照的な解釈を提示する。まず、文字と視覚表現を組み合わせた現在進行形の作品であるマジェラ・フェレーロの個人的日記、そしてもうひとつはアレハンドロ・セザルコによる、彼自身がよく使う主題を何度も見返し、引用、反復そして変形させせることで、言語について、それが何を言ったか(あるいは言わなかったか)ということに光を当てようとする言説、あるいはメタ言説だ。

こんなもの誰が理解できると言うのか！　社会学者のアリクス・ルールとアーティストのデイヴィッド・レヴィンは、公立美術館で開催された展覧会のプレスリリースを言語分析プログラムに大量に流し込んで生み出した、「国際アート英語」と彼らが呼ぶ言語についてのいくつかの理論を提唱する。「国際アート英語は一般的な英語における名詞不足を非難する。ビジュアルをビジュアリティに、グローバルをグローバリティにする。そしてエクスペリエンスはもちろん、エクスペンシャビリティだ」。彼らがここで説明するのは、このような文章を読んだ時にあなたが体験する形而上学的船酔い、雑に訳されたフランス語を読んでいるようなあの感覚だ。

この国際アート英語というものは一九六〇年代の美術批評に始まり、特定の書き手にアートを評価するための権威を与えてきた。読んでわかるように、それは大変貴重な才能だった。それは真剣な言語となり、アート作品に複雑さの箔付けを施した。それは理論武装を競わせ、誰もがアートに対する真剣さを提示したいがために、野火のように広まっていった。美術館に、コマーシャルギャラリーに、そして生徒の論文にまで広まっていった。誰もがこのエリート的国際言語の力を認識し、見る価値があるものについて語る自分たちの言葉もまた、聞く価値があるのだと思われたいためにそれを採用した。これは、世界を飛び回りあらゆる物事を把握した文化の仲買人の言語であり、美術史家・評論家のスヴェン・ルティケンが「ハイブロウ・コピーライティング」と呼ぶものだ。

酷く不可解な国際アート英語によって、そこまで流暢ではない英語話者は、自分の理解力が足りないのは勉強不足だからだと疑問視するかもしれない。彼らは、判断を下すためにその言語を理解しなければならないと思うかもしれない。そんなあなたに私は伝えたい、その必要はないと。

作品の良し悪しを判断する前にそれを完全に「理解」しなければならないという感覚は、コンセプチュアルアートに向き合った時に強くなる。そのような作品の多くは、思考を展開させるための補助機能、あるいは舞台セットのようなものだ。美的な観点からその作品を評するのはやめたほうがいいだろう。一九七〇年代のコンセプチュアルアートはテキストのタイプ原稿と小さな白黒写真、木の端材や糸、テープなどで構成された、ささやかで控えめな実践だった。一九九〇年代に登場したバージョンは、広告代理店によって生み出されたようにも見えた（実際そういうこともあった）。それらはよりセクシーで、ファニーで、ビッグで、そして最も重要なことに、より売りやすくなっていた。

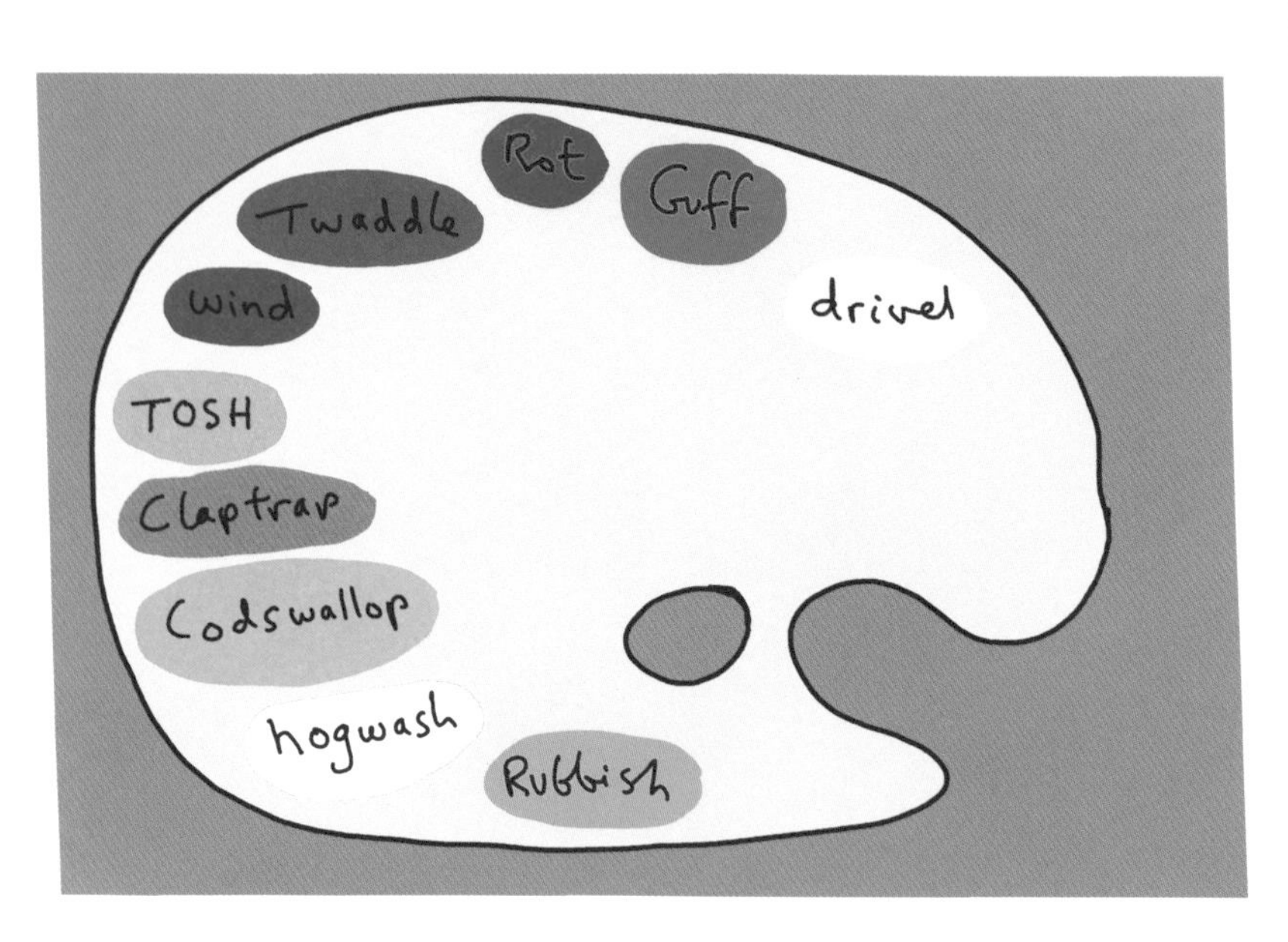

下から時計回りに、ゴミ、デタラメ、タワゴト、ハッタリ、
ナンセンス、ホラ、ムダ、バカ、タワケ、タイクツ

クオリティとエネルギー

一九六〇年代、ポップアートは大量消費主義という概念を反映させたものだったが、まだいくらか伝統的なアートに見えていた。こんにち、ダミアン・ハーストやジェフ・クーンズ、村上隆などヘッドラインを飾るアーティストらが生み出したのは、見た目が豪華で表象的にもわかりやすい、目が飛び出るほどの値段がつけられたアートのブランドであり、それらのアート作品は消費のための商品だ。彼らは悪びれる様子もなく大量消費

主義を受け入れ、抱えるスタッフの数も膨大だ。村上隆には一〇〇人を超えるアシスタントがいる。ロサンゼルス現代美術館で彼の巨大個展が開催された際、彼は展示の一部としてギャラリー内にルイ・ヴィトンのリアル店舗を設け、ハンドバッグを販売、それをデュシャンによる小便器の彼なりの再解釈だとした。つまり、展覧会場にヴィトンのショップを実際につくることで、デュシャンの泉がそうしたように境界を越えたのだ、と。「そう、僕は物をつくって売るだけ」と彼は言う。恥ずかし気もない様子で。

（一方で、アーティスト自身の手でつくられていない、大量生産の作品に対する拒否感は今も存在する。反対にハンドメイドのものは極端に崇拝されがちだ。ときどき私はハンドメイド界の旗手として祀り上げられるが、私はそんなものにはなりたくない。私たちは現在新しい世界にいるのに、人びとは作品の真正さやアーティストの個性という概念、そしてアート作品の良し悪しを判断する際にそれらが重要だという考えにこだわりすぎている。）

どちらかといえば慎ましい素材で市場商品を模したポップアートと違い、クーンズ一派は高価な素材を使い、高級品らしい美しい仕上げを模倣した。私は、自分が彼の金属製「風船」彫刻を見定めている時、まるで車を見定めているような気分になっていることに気づいた。皮肉なことに、新興の超大金持ちコレクターたちは、まるでフェラーリやハンドバッグを買うような感覚でアートを買っている。銀行はアートの資産価値がどれほど固いか認識している。彼らは金庫室の一角をアートのために空けているのだ。彼らはあなたの銀（silver）、ワイン（wine）、アート（art）や金（gold）の世話を喜んで引き受けるはずだ。それらを総称した「ＳＷＡＧ」という頭字語すらある。

いくつかの現代アートが見せる巨大さと完璧さに畏怖の念を抱き、飲み込まれてしまうことは多々ある。ここで立ち戻るべきはクオリティの問題であり、こんにちつくられるアートを見定める際に必要な基準とは何かという問いだ。もしも展示しているアーティストの作品が漫画のフィギュアと見分けがつかないものだった場合、私たちはそれをアートと判断するのか、あるいは商品と？　アートギャラリーで私がよくする遊びがある。持って帰るならどのアート作品にする？と考えてみるのだ。しかしそれは本当にアートを見定める方法なのか、それともただの妄想ショッピングに過ぎない？

一九九〇年代中盤以降に多く見られるようになった類のアートには、どのように評価するべきなのかという疑問がさらに多く湧き上がるものがあり、それらのアートはざっくりと「関係性の美学」あるいは「参加型アート」と呼ばれている。それらをクオリティの観点で判断することはとても難しい。ほとんどの人にとって、それらは全然アートに見えないだろうから。それは人びとをセックスに誘う、軍服を着た盲目の人たちかもしれない。実在する作品でいえば、ギャラリーで偽ブランドのハンドバッグを売る不法移民かもしれないし、ポップアップのタイ風カフェかもしれない。それらの作品で最もよく知られるもののひとつが、一九八四年に炭鉱労働者たちが起こした有名な暴動を、イングランド内戦の再現集団 Sealed Knot とともに二〇〇一年に再現したジェレミー・デラーの《The Battle of Orgreave》だろう。

もはや「クオリティ」という概念そのものが諍いの言葉になっており、何かを素晴らしいと言うだけで、エリートたちの言語空間に絡み取られてしまうみたいだ。参加型アートのスターのひとりがトーマス・ヒルシュホルンで、彼の広大な《Gramsci Monument》は、二〇一三年夏、一時的な図書館、ワークショップ用舞台やベニヤ製のラウンジなどをブロンクスの低所得者向けアパートの敷地内につくり出したものだ。「クオリティにノーを！エネルギーにイエスを！」と彼は言う。

さて、私たちがここで語るエネルギーとは、誰のものだろうか？ 先ほども書いたが個人的な経験から、鑑賞者の参加というものはどれだけ贔屓目に見ても当てにならない。そ

ギャラリーギフトショップ
上段から、未発掘：真摯さ／ただの醜さ／挫折
近代の巨匠：グローバルブランド／体制側の人物／微かな不安／タックスヘイブン
中堅：刺激／新しいパラダイム／寝返った！／新しい貨幣／ビルバオ効果
最先端：ホットなアーティスト／激怒／衝撃／一貫性／反抗！

してクオリティがエリート主義的なものならば、庶民はどのような形のアートを手にできるだろうか？　そしてもしあなたが、ある製造手段を用いて乱造可能な、見た目が同じ作品ばかりつくっていたら、それらはどれも他と寸分変わらぬ高いクオリティを有しているはずではないか？

もし彼らのようなアーティストが、美的判断は体制に加担する行為だとして拒否するのなら、私たちはどのような基準に基づいて、彼らがエネルギッシュなだけでありながらも良い作家だと判断できるのだろうか？「やっぱりこれは陳腐だ！」と言っても、彼らは「いやいや、君はこれを正しい言葉で理解できていないようだ」と返すだけかもしれない。これらの作品は、ほとんどの場合政治的でもある。それなら、それらの作品は現存する政府の文化政策や社会福祉と同様に素晴らしいものなのだろうか？　私たちは、それらがいかに倫理的であるかという点で作品を判断しているのだろうか？

しかし同時に頭に浮かぶのは、私は作品を何と見比べているのだろうか、ということ。政府の政策と比較している？　参加型ばかりのリアリティ番組と比べている？　アート界において、それらの作品の多くは商品化されることを意識的に拒否しており、市場に蓄積された判断基準にも当てはまらない。ゆえにそれらの作品は批評家の、そしてプロジェクトに投資しコレクションする美術機関の評価にかつてないほどに依存している。それに、現代アートは今もつくられ続け、ほとんどはゴミのようなものだから、市場なくして現代アートに残された認定手段は人気以外になくなってしまう。そしてもう、私たちは人気の行末を知っている（そうでしょう？）。民主主義とは本当に悪趣味だ。

私が伝えたかったのは、世界中の美術館やギャラリーで私たちが目にするアートがどのようにそこに行き着くのか、そしてそれらがどのようにして良いものだとみなされるのかということ。さほど教養がない私にとって、アート界は少々怖い場所にもなり得る。良いセンスというものは、同族相手にしか機能しない。アート界という部族は独自の価値観を抱えていて、それらがより民主的で大衆に開かれた価値観と同じとは限らない。しかし私たちは、美術館やギャラリーに、あるいはどんな場所にでもアートを送り込む体制を受け入れた上で作品に向き合っている。もしも大衆がアートギャラリーで見せる作品を選ぶことになった場合、彼らは同じものを選ぶだろうか？

ナショナル・ギャラリーの理事だった頃にアラン・ベネットが言ったように、美術館は外壁に以下のメッセージを大きく掲示するべきだ。「すべてを好きになる必要はない」

2

境界を叩いて

何がアートだとみなされるのか？
すべてがアートに
なり得る時代に私たちは
生きているが、すべてが
ふさわしいわけではない。

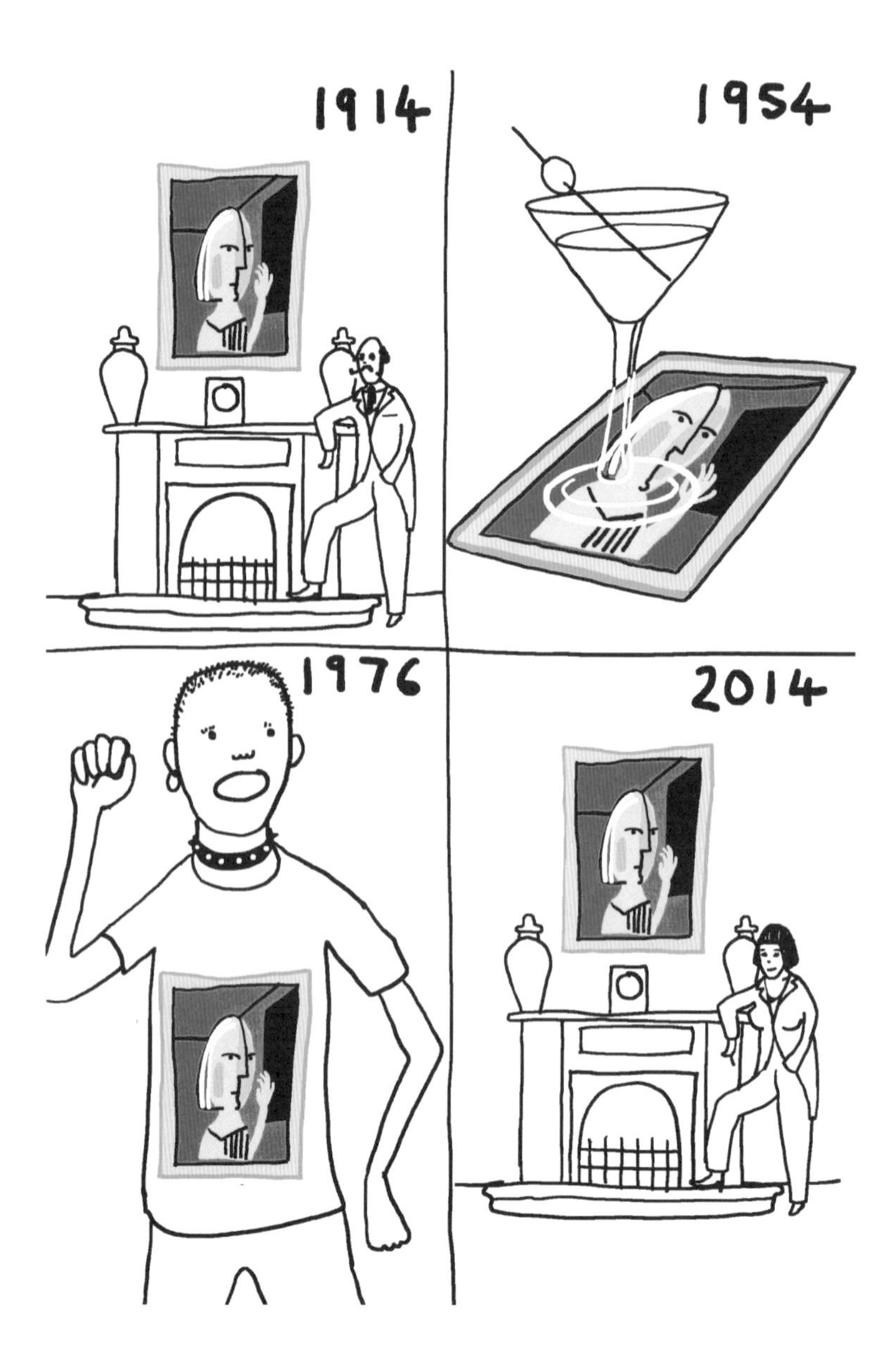
1914
1954
1976
2014

何かをつくることで自分を表現したいという欲求は、人びとを現代アートという不思議な世界での暮らしに引き込んでしまうかもしれない。しかしここに到着した後、あなたは何をつくるだろうか？「アートとは何か」という質問をアート界で投げかける行為には、そこにいる高い知的素養を備えた人びとの軽蔑の眼差し、あるいは敵意さえ向けられるリスクがある。

アーティストになることは最高の自由を得ることだと考えるアート界の人びとにとって、そこに境界線があるという考え自体、意に反するものだろう。過去のアーティストたちは、歴史上それぞれの時間に閉じ込められている。現在私たちが生きるポスト・ヒストリカル〔直線的に進む歴史が終わりを迎え、特定の中心をもたずさまざまな事象が多元的に発生し広がる状況〕なアートの時代においては、何でもアートになり得るが、すべてがアートであるわけではない。境界線のない時代だからこそ、境界がもたらす可能性は私を魅了する。

アートやアーティストたちの辞書からは、多くの場合「アート」と「アーティスト」の項目が省かれている。私自身、自分はアーティストであり、自分がつくっているものはアートであるとそれなりに認識しているが、この業界にはそう定義することをためらってしまうような人びとや活動も多く存在する。人びとが自らの活動をアートとして認識してもらいたいのは、その定義がもたらすステータス（そして多くの場合それに伴う経済的利益）のためであるようにも感じる。

そう、特定の何かに対して、それはアートではないと言うことはとても面倒だ。現在、境界線は常に移動し続けている。私たちはアートにおけるポスト・ヒストリカルな状況にいる。何もかもまかり通ってしまう状態になっている。それでもやはり、何がアートであり、何がアートになれないかを分ける境界線は今も存在する。その境目は、どんどんぼんやりと曖昧になっているが。それらの境界線が形式的なものだと私が思わないのは、何だってアートになれると心から信じているし、喜んでその知的可能性について考えるだろうから。現在その境界線とは社会学的、部族的、哲学的そしておそらく経済的なものであるように見える。

ウェストロンドンにタクシーで向かっていた時のこと、ある交差点に差しかかった時にドライバーが、そこでかつて恐ろしい殺人事件があったと教えてくれた。彼がそのことを知っていたのは、ナレッジ試験〔ロンドンのタクシードライバーたちが受けなければならない運転免許試験。その高い難易度で知られている〕において運転手たちの記憶を助けるため、重要な基準地点と結びつく印象の強い情報の断片を教官が与えていたからだと言う。記憶と理解は純粋に知能的なプロセスではない。それは、とても情動的なものでもある。

この知能的な記憶と情動的な記憶という考え方について書いたのは、何がアートかという境界線を認識する際、知能的理解と情動的理解にいくらかのズレが生じるから。新たな発展を頭で理解するだけなら時間はかからない。しかし大きな変化を感情レベルで受け入れるには何年も、あるいは何世代もかかる。

この章のタイトル「境界を叩いて」は正確な地図が発達する以前、アングロサクソンの時代に行われていた古い儀式からとっている。その教区の境目がどこか、皆が認識していることを確認するため、教区民は老いも若きも誰もが聖職者とともに境界上を歩き、境目がどこにあるかという知識を継承していた。彼らのその行進は、かなり儀式的でもあった。そして重要な地点や標石にたどり着いたら、人びとは少年たちを鞭で打ち、その地点にまつわる強い情動的記憶が残るようにした。そうしないと、私たちは覚えることができないから。情動的記憶はいつまでも残る。

だから、本章の後半では、あなたたちに何度かちょっとした鞭打ちを与えよう。そうすれば、アート界の端っこを巡りながら、あなたたちも主要な標石の場所を覚えてくれるだろう。

（常につきまとってくる副次的な疑問があるので、一緒に境界を歩く間は以下のことを頭の片隅で覚えていてほしい。なぜ自分のしていることすべてがアートであると思われたい人間がいるのか？　いや、理由はたくさんあるはずだが最も明快な理由、それは彼らがアーティストだからだろう！「これが私の仕事！」と言うため。あるいは、何かをするためのちょうどいい理由が欲しいだけかもしれない。「あれやってみたいんだよね。じゃあ、それはアートだということにしよう」などと言う輩も多い。そしてやはり、自分の活動をアートだと認識されたい最大の理由は経済的なもので、そこにはとんでもない額のお金——二〇一三年には六六〇億ドル——がじゃぶじゃぶ流れこんでいるのだ。自分のしていることがアートだと表明することで得られる大変魅力的な見返りだろう。）

アートはよれよれのゴミ袋のようなもの

小さな子どもにアートとは何かと聞けば、きっと彼らは「鉛筆や絵具で絵を描くこと、彫刻をつくること」と答えるはずだ（もっとも、ノースロンドンの中流階級出身の知ったかぶりの子どもなら、「パフォーマンスアート」などと口走るかもしれないが）。知的観点から見ればとても狭いアートの定義ではあるが、子どもが何をアートと考えるのかということに、私は今も親近感をもっている。私は子どもの頃、鉛筆や絵具で絵を描くこと、彫刻をつくることがアートだと思っていたし、私が愛するアートもどちらかといえば伝統的なものだ。拡張し続けるアートの領域に知性的に向き合い、そして楽しむことができるようになった今もなお、私は古いものに惹かれ続けている。

それは主にアーティストの手によって生み出された、視覚表現としてのアートであり、つくること、見ること、そして他者に見せることに喜びを見出せるものだ。アートの歴史のほとんどにおいて、少々雑ながらこれは先ほどの疑問に対する答えとして良い出発点だ。

古代ギリシャ人は、私たちが「ファインアート」と捉えるものに対する言葉をもっていなかった。お高くとまったローマ人は、修辞学や音楽といった誇るべき（リベラル）アーツと、さまざまな汚れや肉体労働を伴う彫刻や絵画といった恥ずべき下劣な（ソーディッド）アーツとを区分した。

「ファインアート」という概念は比較的新しいものだ。私たちは先史時代から絵画を壁に掛け、彫刻をつくってきたが、アート（美術館やギャラリーで展示される特別なステータスをもった何か）という重要な活動として私たちがそれらを理解し、柵で囲いはじめたのは近代のことだ。美術史家のハンス・ベルティングは、私たちが理解するアートは一四〇〇年頃に生まれたと考える。

一九世紀中盤から終盤にかけてモダニズムが台頭するまでは、そのようなアートに対する考え方は転がり回り、洗練され、私たちは当たり前のことのようにそれを受け入れてきた——そう、あれがアート、あれもアート、と——が、次第に人びとは何がアートなのか、自分たちのしているそれが何なのかと疑問をもちはじめた。それから長い時間をかけて人びと、つまりアーティストたちがアートの本質について考えた長い自問自答の時期を経て、一九一〇年代、何でもアートになると言い放ったかの有名なデュシャンが登場する。

しかし、伝統的な考えも残り続ける。グーグルマップの検索欄にアートギャラリーと打ち込めば、ギャラリーの場所を示すシンボルとして出てくるのは絵画用の黒く小さなパレットだ。

二〇〇〇年、あるアートの専門家集団がデュシャンを二〇世紀で最も影響力のあるアーティストに選出した。彼がアートと呼ぶものは何か？　彼が生み出したレディメイド——

つまりあれが
アートなんだ
衝撃を受ける
なんて
くだらない
1400年ごろ

小便器やボトルラックなど、何かを選ぶだけでそれがアートであると宣言できる――の概念は、アーティストたちの可能性を大きく広げた。今やアート作品であるか否かを知るために必要なものは、そうであると言ってくれる誰かだ。しかしそれは傲慢な決めつけのようにも思える。これはアートだとマルセルが言うのは大変結構なことだが、彼の周りのアーティストも含め、強い拒否感をもった人も多かっただろう。彼の定義は独断的だ。彼の概念がきちんと機能するためには他者の、彼の定義に賛同する定足数、人びとの頭数が必要だ。それには、かなりの時間がかかった。

何でもアートになるのだと決めた彼は、アートギャラリーに小便器を持ち込んだ。そして数奇な生き残りの物語が知られることとなる。一九一七年、ニューヨークのアンデパンダン展に彼が持ち込んだオリジナルの小便器はその後すぐに破壊された。誰かがそれを写真に撮っており、そのピンボケの記録が残っていたのは幸運だった。でなければ、アートの歴史においてこんなにも重大で衝撃的な事件にはなっていなかっただろう。何かを置いて「あれがアートだ」と言うことは、ずいぶん傲慢なことだと個人的には思う。それでも、とても知的なアートの考え方でもある。何より、かなり愉快だ。

しかし現在、それから一〇〇年以上が経ち、アートが知的な嗜みであるという彼の主張

アートギャラリー
「ちがーーーう!」

とその影響が、アートの定義にまつわるさまざまな議論を生み出した。ストリートアーティストのバンクシーが近年、このデュシャンピアンの勢力に、興味深いひねりを加えた。女王のダイヤモンド・ジュビリー〔エリザベス二世の即位六〇周年記念式典〕に際し、ユニオンジャックを縫う子どもを北ロンドンにあるポンドランド〔日本における一〇〇円ショップのような店〕の外壁に描いた彼の作品が、その後壁から丁重に剝がされ、オークションにかけられた。バンクシーは、壁から切り取られたそれはもうバンクシー作品ではないと宣言した。バンクシーは、アーティストとしての自由裁量を行使して、ある物体が彼の作品ではないと再解釈をしたのだ。それをさらに推し進めて、自分が気に入らないものはアートではないと宣言する力を手に入れることができたら。そんな力が私にあったらどんなに良かっただろう。

あるものがアート作品だと宣言するアーティストの力が、何らかのかたちで揺さぶられる瞬間というのは見ていて楽しいものだ。二〇〇〇年、バーミンガム美術館の棚に置きっぱなしにされていたお菓子が訪ねてきた生徒たちに食べられたが、それはグラハム・フェイゲンというアーティストの作品だった。でも、それと同時にお菓子でもあったのだ！男の子たちに非はない！　それは否定できないはずだ。

詩人のW・H・オーデンは重たい毛布に包まれて眠ることを好み、毛布もしっかりと硬いものを好んだ（羽毛布団は好まなかっただろう）。ある時、寝るために充分な量の毛布を見つけられなかった彼は、壁から絵画を外し額のままベッドに敷いた。彼が絵画を手に取り、それに機能を与えたことは素晴らしいことではないか。

アートが信じられないくらい有名になった時も、そのアートらしさが少々失われてしまう。《モナ・リザ》を観に行くと、セレブリティを見ている気分になるだろう。人びとは、その横で写真を撮りたいだけだ。それをアートとして見ることは、私にはできそうにない。

そしてもちろん、アートがアートと感じられなくなるもうひとつのタイミングが、それを見て「なんてこった、あれが二億五〇〇〇万ドルだって?」と思ってしまう時だろう。

自分がアートだと決めればすべてがアートであるという、デュシャンが提唱した考えに人びとは知性的に向き合ったが、概念としてきちんと理解されるまでにはかなり長い時間がかかった。キュビズム、未来派、シュルレアリスム、抽象表現主義などのイズム/主義に溢れた二〇世紀初頭は、伝統的かつ有形の媒体を用いて様式、そして内容の刷新に注力していた時代だった。キュビストたちは空間表現の可能性を押し広げたが、それも主に油絵のキャンバス上で行われていた。それから五〇年後、絵筆でキャンバス上に美術史を描き殴っていたのは、抽象表現主義の作家たちだった。アーティストはアーティストゆえに大胆な実験を行っていたが、デュシャンの考えが確かな実を結ぶのは一九六〇年代、ポップアートの作家たちがそれを取り入れた時だった。一九六一年、アイリス・クラートというギャラリストが、アーティストのロバート・ラウシェンバーグに肖像画の制作を依頼した。それに対応する形でラウシェンバーグは、「THIS IS A PORTRAIT OF IRIS CLERT IF I SAY SO(私がそう言うのだからこれはアイリス・クラートのポートレイトだ)」とだけ記された電報を彼女に送った。単なるデュシャンのクールな信奉者に終わることなく、ラウシェンバーグは自分自身に意味の生成者としての役割を与えた。つまり、創造主になったのだ。

ブリロ・ボックスの作品群は、アンディ・ウォーホルの作品の中で最も興味深いもののひとつだろう。彼はブリロの段ボール箱〔アメリカの食器洗い用ソープパッド「ブリロ」を梱包するための外箱〕とすべて同じサイズの箱をベニヤでつくり、ブリロのロゴパターンをその表面にステンシルで刷り、どこから見ても完全に同じものにした。いや、同じではない！ それらはアートのブリロ・ボックスだ。その瞬間、アートの概念そのものが崩れかけた。本物のブリロ・ボックスとアートのブリロ・ボックスを見分けることはとても困難だったから。

この物語には、皮肉めいた面白いひねりがある。ブリロのとても魅力的なロゴをデザインしたのが、抽象表現主義の作家だったのだ。あらゆる意味で、彼は自身が属するムーヴメントの没落に貢献したと言える。

そして一九六〇年代になると、本当にあらゆるものがアートと呼ばれることになる。よく知られるようにピエロ・マンゾーニは自分自身の糞便を缶に詰め、その重量の金と同等の取引価格で販売した。《The Base of the World》という作品では、広場の真ん中に金属

「戦争は良くない」

製の巨大な台座を逆さまの状態で設置、そうすることで地球そのものを彼自身の作品とした。その後もアーティストたちは自らの、あるいは他者の身体を作品化し、歩き、寝て、自分を撃ち、日焼けしたりしながら、風景、動物、光、フィルムにビデオまであらゆるものごとを作品に取り込んだ。陶器でさえアートであると宣言されたのだ。

今やアートは、信じられないほどよれよれになった袋のような概念だ。私が想像するのはとんでもなく安物のゴミ袋で、ゴミ箱からそれを引き抜いて玄関に向かいながら、どうか中身が廊下のカーペットにぶちまけられないようにと祈るしかない代物だ。アートはそのような袋でしかない。信じられないくらいに漏れやすくて、中身も隠せていない微妙な袋なのだ。

アートの境界を巡る旅へ

私が感じるこのモヤモヤをよく表しているのが、過激派ロイヤリストのマイケル・ストーンが、爆発物を持って北アイルランド・ストーモントの議会に乱入し告発された事件だ。幸運なことに彼は逮捕され、彼自身やら何やらを吹き飛ばさずにすんだ。裁判で彼は、自らの行いは人命を奪うものではなくただのパフォーマンスアートだった、無害な行為に過ぎなかったと供述した。アートが美ではなく衝撃と結びつけられるようになり、テロ行為のもっともらしい口実になり得るようになった証ではないか。

これは、自分がなんとなくやりたいと思うことをアートだと宣言し正当化しようとする、近年多く見られるようになった戦略でもある。一九九八年、リーズの美大生グループがこの考えを素晴らしいパロディー（少なくとも私はパロディーだったと信じている）に仕立て上げた。まず彼らは、美大の卒業制作のために一〇〇〇ポンドの助成金を得た。展示の時に彼らが見せたのは、コスタ・デル・ソル〔スペイン南部のリゾート地〕のビーチにたむろする自分たちの写真と、お土産、そして航空券だった。もちろん炎上し、新聞も我先にとそれを取り上げ、一面にこんな文字が並んだ。「助成金で休暇旅行した美大生、それをアートと主張」。愉快なことだと私は思った。しかしその後の種明かしによって、彼らがすべてを捏造していたことが判明する。お金はまだ口座に残っている。日焼けはサロンで。彼らが寛いでいるのは近所のスケッグネスビーチ。お土産はチャリティショップで購入し、チケットも偽造。もし何でもアートになるのならば、アートとはそう称すれば何でもできる馬鹿な悪ふざけでしかない。そう思い込むメディアの出鼻を見事にくじいたのだ。

きっと彼らはトップの成績で卒業しただろう。

何かをアートと括ることは、不祥事の追及にも無傷でいられる「投獄免除」証として機能し、ある種やった者勝ちの状況になっている。

盛大にコケしてしまうかもしれない何かを始める時、人びとはそれを「アートプロジェクト」と呼ぶ。例えばジャレッド・レトのような俳優がオルタナティヴロックのバンド（本気）を始めたり、キャトリン・モランのようなライターがバスルームのタイル貼り

（適当）について語る時に採用される方策だ。「さあ、」彼女は言う。「アートに失敗なんてないんだから」。笑えるが、「アートプロジェクト」という言葉が無意味で下手な素人芸の代名詞となってしまったことが哀しい。テレビ番組をうまくつくれない人がビデオアーティストになり、ヒットソングを書けない人がアートバンドを組むのはよく知られることだ。

同時に私は自分の老害具合と格闘している。すべてを受け入れ、アート界の格付けもやめて、「私たちがしていることはすべて素晴らしい」と皆で宣言すべきだとわかってはいるのだ。アートについて考えることは、私自身の先入観や偏見を疑うことでもあったはずだ。私は、前時代的で頭の固い芸術家気取りに過ぎないという、自分自身の姿と戦っていた。一方で私は、自分が工芸家を装ったコンセプチュアルアーティストであると考えるようになった。私は陶芸や刺繍、そして版画などの技法を、その伝統に反逆するように、からかうように用いている。しかし、女性の服を着ていることが私のアーティスト活動の一環であるかのように考える人たちを正すことにも喜びを見出している。最近、私が制作したテレビシリーズはアートだったのかと聞いてきたビデオアーティストがいた。私の答えは、「違う、あれはあくまでテレビ。テレビ的価値観でつくったもの」だった。

私個人がアートの定義を実感する体験は、例えばアーティストが手がけた何か

左上から、写真家／画家／ワナビー／工芸家／映画監督／
アクティヴィスト／学生／アーティスト

でなければならないというような形式の境界線上ではなく、嗜好に関する境界線上で起こってきた。それは、一種の上流気取りでしかない。「ええ、誰だってアーティストになれるし彼らがつくるすべてがアートです」という教養ある寛容さの裏には、興味深い上流者精神がある。同等に語られるアートとそうでないものが存在する。例えば小便器――それをアートとして持ち込んだ？　なんて前衛的なんだ。そしてサメ〔ダミアン・ハーストによるサメをホルマリン漬けにした作品〕、それまでギャラリーに持ち込む？　なんてことだ、びっくりした。しかし壺、あれはただの手づくり工芸品だ。

フロイトの言葉、「the narcissism of small differences（小さな差異のナルシシズム）」を引用し、私はある展覧会のタイトルを「The Vanity of Small Differences（小さな差異の虚無）」とした。人びとが最も嫌う人間とは、自身とほぼ同じタイプの人間だと彼は気づいていた。これこそ陶器や工芸が抱える問題で、つまりは美術に近すぎるのだ。

そしてそれが、ミドルブロウ〔ハイブロウ（高尚）でもロウブロウ（低俗）でもないもの。高い知識を必要としない中庸な芸術や文化〕に対する戸惑いの根っこにあるのかもしれない。アート界における寛容さの潮流を守るハイブロウの守護者たちは、このミドルブロウなるものを敵の罪過だと捉えがちだ。一九六〇年代のポップアート以降、アーティストたちが作品に趣

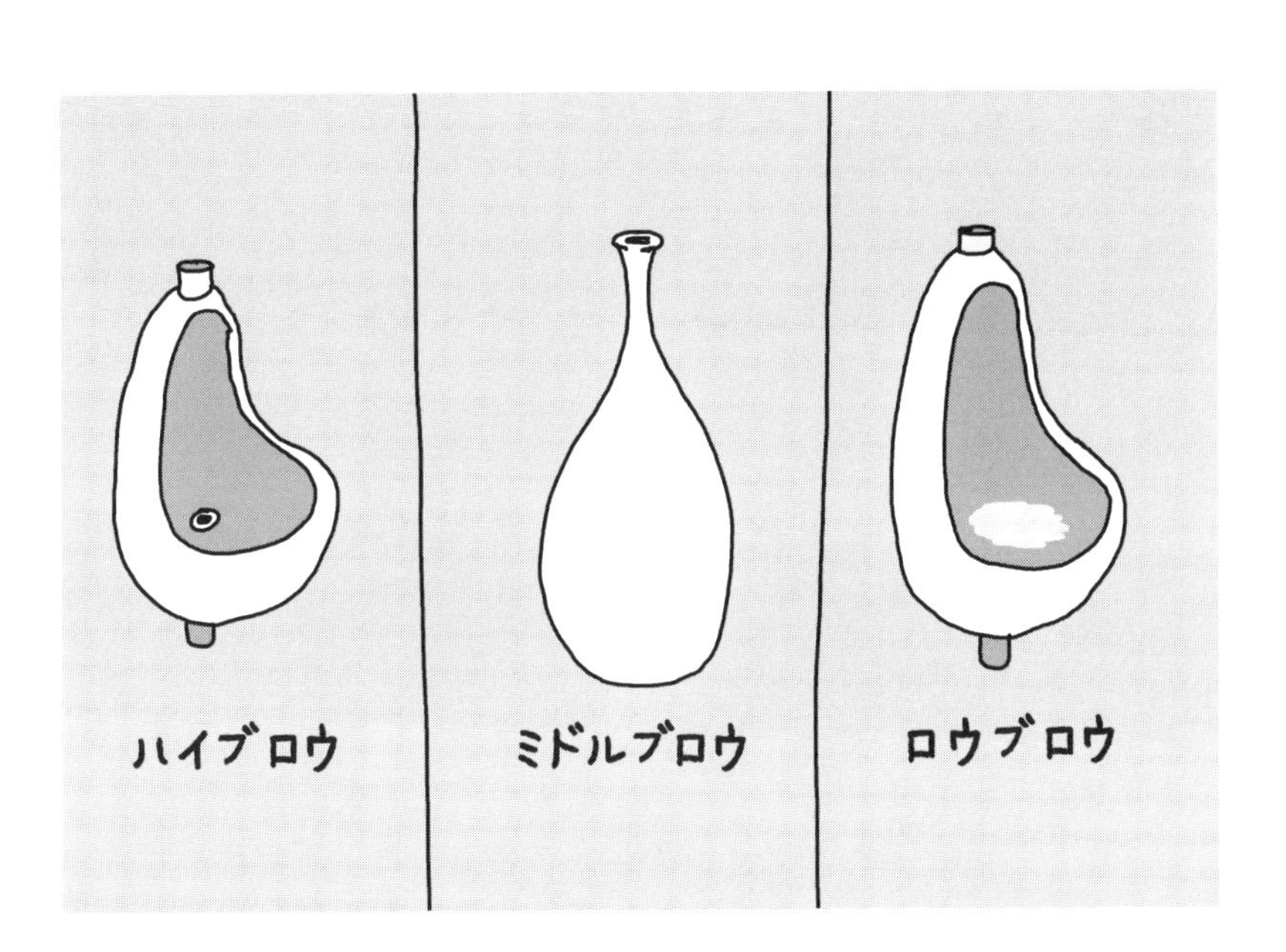

きと本物らしさを追加するため、ロウブロウを取り入れることにアート界は喜びを覚えていた。しかしミドルブロウには郊外在住ブルジョワ的で、アートと願望を結びつけるような感性が見受けられる。

おそらくミドルブロウなるものの典型は、子どもが考えるアートに忠実であろうとする姿勢だろう。絵画か彫刻、出来るかぎり難解でないもの。ミドルブロウの人びとが好きなのはデイヴィッド・ホックニーやジェフ・クーンズ、あるいはテート・モダンででっかい太陽をやった彼でもいい。だからきっと、すべてがアートであってほしいという先進的な考え方をする人と、より伝統的なアートの定義を好む人はそもそも相容れないのだ。

もしも現代アートが若々しくお洒落で、輝ける文化の流行が生まれる中心都市だとすれば、巨匠は遠くに広がる風光明媚な風景で、そして工芸はきっとあなたが別荘に向かう途中に通る郊外だろう。

クールで現代的な考えの人は聞くかもしれない、「ほら、リラックスしてグレイソン、何がアートと定義されるのかについて、なぜそこまでこだわるの？」と。でも、何かを見る時にアートの眼鏡をかけるべきか知る必要があるし、それをアート作品として捉え感じるべきか、それにアートの価値観を当てはめるべきか私は知りたいのだ。哲学者のジョージ・ディッキーは、アート作品とは「熟考もしくは理解を促す可能性をもつもの」だと述べている。

一九七〇年代、私が大学にいた頃、同級生だったジョナサン・グリーンはその定義を民主主義に任せた。彼は、「これはアート？」という質問を表面に書いた鉄製の箱をつくった。その下に計数器につながれた「イエス」と「ノー」が記されたふたつのボタンを設け、観客が選んで押せるようにした。つまり、それがアートなのかそうでないのかについては、どこに設置され誰が見ているのかが重要になる。ある意味、この問題の完璧な具現化だが、

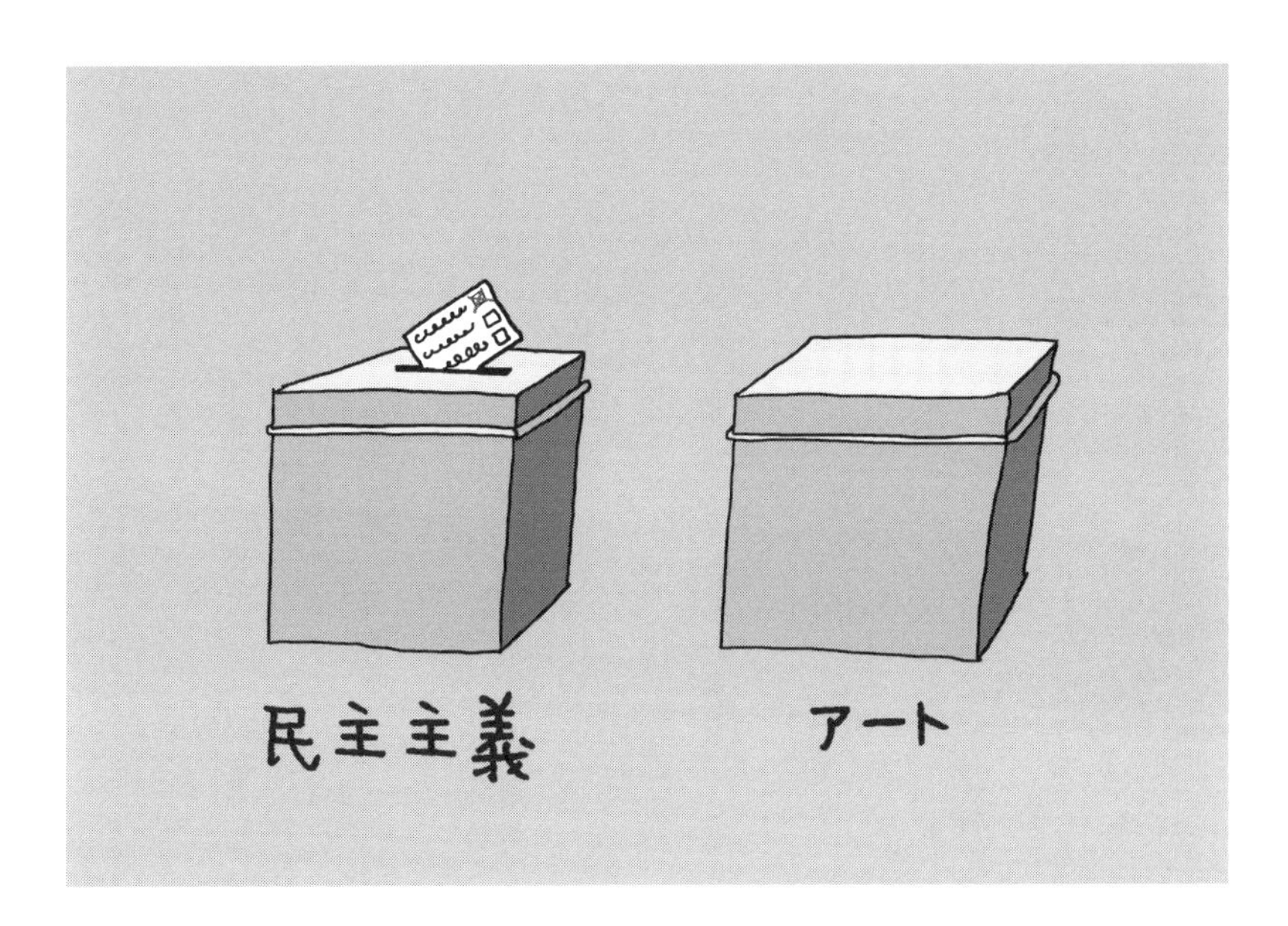

最終的な決定権は結局専門家にあり、民主主義とは往々にして保守的で、見てわかる美しさや美学を求めがちなのだ。

何かがアートであるかを見極めるより慎重な方法は、それがアートの文脈上にあるか、と問うことだろう。それは展覧会にあるか、台座に載せられているか？ 哲学者のアーサー・C・ダントーは、アートは独自の観点と様式を有していながら、修辞学的な欠落があると述べた。つまり、観客に行間を埋めるよう促す。アート作品はただそこにあるだけではなく、あなたもアート作品に反応しなければならないのだ。彼はまた、アートには美術史的文脈が必要だと言う。これは慣例化したアートの定義だ。アート作品は、アートの存在を確認できる文脈上になければならない。結局のところ、もしもデュシャンが小便器をトイレの壁に設置していたら、同じような衝撃はなかっただろう。そして私たちはここで、そのアートをギャラリーに持ち込める可能性があるのか、その価値があると誰が決めるのかという疑問に戻る。もしもアーティストがある物体をアートだと宣言していたとして、デュシャンの解釈に従えばそれはアートとなる。しかし、例えばキュレーターや批評家がある物体を選んでそれをギャラリーに置いたらどうだろう？　それは果たしてアートなのか？

キュレーターはアーティストのシャーマン的な能力、何かを価値と地位を備えたアート的な物体へと変貌させる能力に頼ってきた。ファインアートのギャラリーは、別カテゴリーのものを取り込みアートのように見せ、そう感じさせる場になりがちだが、それでも作品に与えられる最初の定義（写真、映像、もしかしたら陶芸も）は、本来別のカテゴリーに属するものだ。

ここまで、アートの境界はどこにあるのか思考し疑問に答えてきたが、ここからは私なりの境界叩きを行おうと思う。探索中、大事な標石を見つけたことをあなたにお知らせするための鞭も持ってきたから。加えて、あなたが見ているものがアートの作品なのかどうでもいいゴミなのかを知ってもらうため、私が編み出したテストも用意している。

では、境界を探す旅最初の標石 それはギャラリーの中 あるいはアートの文脈にあるか？

デュシャンの小便器だが、下水につないでおくことだってできたはずだ。しかし、彼はそうせずにそれをギャラリーに持ち込んだ。彼はホームセンターだかでそれをひとつ買ってギャラリーに持ち込み、台座の上に置いた。

ターナー賞受賞者であるキース・タイソンは、「魔法の始動」と称してギャラリー内に既に存在していたものをアートにする作品をつくっている。例えば、照明のスイッチを見つけて「黙示のスイッチ」と呼び、あるいは電球を見て「気づきの電球」と呼んだ。彼が駆使するのは、ある物をアートだと指定するアーティストの力だが、それができるのも

アートの文脈上だったからだ。

　そしてこのアートの文脈が強力に作用することもあれば、アート作品に対する下手くそな弁明になることとある。もしも私が世界一素敵な車、美しいヴィンテージのフェラーリを手に入れてギャラリーに持ち込み、「今からこれはアート作品だ」と言っても、それはとても馬鹿げた作品でしかない。素敵な車だが、馬鹿げたアートの作品。これはアート界でよくあることで、私が「借り物の重要性」と呼ぶものだ。展覧会を観て回りながら、「ええ、政治が大好きなもので。政治的で最高だね。うん、こういうことはしっかり伝えないと。でもゴミみたいなアー

ト だ」とか「最高に面白かった。でもゴミみたいなアートだから」などと言いたくなる類のもの。つまり、アートギャラリーの文脈にあるかどうかというのは良い問いではあるものの、それだけでは役に立たない。

ふたつ目の標石
それは、他の何かの退屈な劣化版ではないか？

私はこれを「オペラのジョーク」効果と呼んでいる。オペラに行けば音楽があり色彩があり、衣装やドラマがあり、それらのすべてに圧倒されるだろう。ジョークのために行くわけではない。もちろん、ときどきはオペラの中でもジョークが飛び出しみんなでゲラゲラ笑うこともあるが、しかしそれらは極めてつまらないジョークだ。何かをアートだと定義する方法のひとつは、それがどれだけ退屈か見極めることではないかと私はときおり考える。そこには娯楽的価値もなく、喜びもない。言い換えれば、現代においてアート作品を語る上で最も侮辱的な言葉は、「装飾的」であるということになる。

　しかし、装飾的であることはとても素晴らしいことだ。そしてアートに喜びがないという考えは間違っている。レフ・トルストイは「アートを正しく定義するためには、まず前提としてそれが喜びを提供するものであるという考えを捨てて、人間が生存するための条件のひとつであると認識すべきだ」と言った。レフがビデオアートをたくさん見てきたとは思えないが、彼が言いたかったのは、ビデオアートの展示室内で永遠に立ち続けること、あるいは設置された座り心地が悪いだけの美しいベンチに座らなければならないこと、かもしれない。ビデオアーティストのクリスチャン・マークレーが、《The Clock》〔映画やテレビ番組などで時計が映ったシーンを切り取り、二四時間分コラージュした映像作品。映される時計の時間は実際の時間と同期するように編集がなされている〕という最高に気の利いた見事な作品をつくっている。これはビデオアートの傑作なので機会があればぜひ観ることをお勧めするが、彼がちゃんとソファを用意していたことも好意的なレビューにつながっていたのかもしれない。

次の標石は……それはアーティストによってつくられたか？

美術史家のエルンスト・ゴンブリッチは、「アートというものは存在しない、アーティストがいるだけだ」と言った。つまり、アートをつくるためにはアーティストになる必要がある。

一九九五年、コンセプチュアルアートの作家コーネリア・パーカーがサーペンタインで個展を開催した。展示のひとつは女優のティルダ・スウィントンとのコラボレーションで、ティルダがガラスの箱の中で横になっているというものだった。《The Maybe》と名付けられたその作品でティルダは眠っており、観客は彼女に近づいて鼻の穴までじっくり観察することができた。それは興味深い体験だったし、確かに展覧会の一部として機能していた。二〇一三年、ティルダ・スウィントンはそれをもう一度行おうと考え、ガラスの箱をニューヨークの近代美術館に設置した。私たちが生きるインスタグラムやその他ソーシャルメディアの時代、それは拡散され大騒ぎになる。大変興味深いことではないだろうか。一九九五年、私は彼女をアート作品だと考えていたが、二〇一三年にはもはやそうでなくなっていたのかもしれない。それでは、彼女はアーティストだろうか。コーネリア・パーカーとのコラボレーションではなかったことで、何か変化が起こったのか？

「これはアーティストによってつくられたのか」という疑問に答えようとした時に出てくるもうひとつの問題があって、それはアボリジニのアートにも当てはめることができる。ロンドンのロイヤル・アカデミーで開催されていた「オーストラリア」展に行った時、私はそこで多くのアボリジニによるアートを観た。それらはどれも美しくパワフルなものだったが、果たしてアートなのか。独特の古い樹皮画は精神の地図であり、宇宙や風景との関係性を教えてくれるものだ。それらは私たちの心を強く動かす。しかしそれらは、そして今も同じ精神でつくられる同種の絵画は現代アートなのだろうか。

オーストラリア在住の八一歳のアーティスト、エリザベス・デュラックについての記事を読んだことがある。彼女はエディ・バラップの偽名でアボリジニ風絵画を描いて、それをアボリジニ関連の展覧会で展示し、アボリジニの特別な他者性を盗用したとして大きな怒りを呼び起こした。つまり、彼らがアーティストではないという事実を。

彼女は力を借用した。そして批判を浴びたが、アボリジニが現代アート作家の力を借用してもそこに批判は生まれない。自分のことをアーティストだと認識していない誰かによる何かが、アートになり得るだろうか？

次の標石
写真。
それが問題だ。

一九九〇年代、開催される展覧会の半分は写真展のように思えたが、どうやって写真がアートであるとわかるのだろうか。一九九〇年代、その写真がアートであると見分ける基準は、写っている人が誰も笑っていないこと、あるいは芝居がかった態度が目に付くことだった。しかしその写真がアートであるとわかる一番の方法は、巨大さだ。サイズによって、スナップや報道写真ではなく、絵画のような存在感を得たのだ。

今や写真が汚水のように私たちに降り注ぐ時代。では、写真がアートだとどう判断する

写真サイズ比較

のか。きっと、笑っている人が写っていないかは今でも有効な見分け方だ。もしも笑っていたら、それは多分アートではない。同時にこう問いかけることもできる。イメージからさまざまな意味が放出されているか？

とても有名な、優れた写真家であるマーティン・パーに、他の写真と区別するためのアート写真の定義を教えてくれないか尋ねたことがある。「高さ二メートル以上、価格が五桁以上であること、かな」と彼は即答した。

実はかなり正確な基準なのではないか、と私は思った。アンドレアス・グルスキーのような有名な写真家がつくるのは、ときに四×三メートルほどの大きさにもなる巨大な写真で、ライン川を撮影した彼の写真作品は写真として最高額の四三〇万ドルの値をつけた。

Crack!

そしてこの先に見えるのがもうひとつの興味深い標石、これは写真以外の美術作品にも適応可能なもので、そのエディション数が限定されているか、というものだ。

グルスキーの写真が四三〇万ドルの値をつけたのは、それが五枚限定のエディション（制作部数）で印刷され、他四枚はすでに美術館に収蔵済みのため二度と手に入れることができないからだ。市場に残された取引可能な最後の一枚だったこと、それが原因でそこまで高い値がついた。これはエディション限定のシステムが機能している好例だろう。もしも何かが際限なく制作されている場合、それはアートとしての条件の一部を手放しているのだ。

少しふざけたように
聞こえるかもしれない
もうひとつのテスト。
私はこれを
「ハンドバッグ&ヒップスター」テスト
と呼んでいる。

人びとが取り囲んでそれを観ているという事実だけでは、それがアートであるか答えることができないことも多いだろう。しかし髭とメガネという出立ちで、シングルスピードの自転車に乗ってきたような人が多くいて、驚くほど大きなハンドバッグを持った権力者の妻たちが不安げな困惑の表情で観ていれば、きっとそれはアートだ。よく言われるようにアートは、ふさわしい教育を受け金銭的に余裕のある、恵まれた地位にいる人びとに属するものであり、そのような人びとが凝視しているのなら、それがアートである可能性は高い。

もうひとつの見分け方が行列で、なぜなら近頃の人びとはアート、特に――子どもたちが遊び回れて、目の前でインスタ用の写真が撮れる――参加型アートに並ぶことを愛してやまないからだ。スペクタクル、公共のスペクタクルに対する需要があるのだ。私はこれを「テーマパーク+数独」と呼んでいる。人びとがアートに求めるのは、非日常的かつ刺激的な経験の提供と、そしてそれが何を意味するのかを問う難しすぎない謎かけなのだ。

ここで、参加型アートと社会的体験の構築について再度考えてみよう。何でもアートになるとしたら、このような種類のアートは、これまで美術史に吸い上げられずにすんでいた営みすらも均してゆくだろう。ターナー賞にもノミネートされたティノ・セーガルは、人びとを不安にさせるような交流の場をつくり出す。例えば子どもたちがすらすらとアートについて語り、ギャラリーのスタッフがあなたに哲学的議論をふっかけ、演者たちが鑑賞者に自身のことを語るよう促す。ティノはこの非物質的なアートのあり方を徹底していて、作品の写真や記録すら認めない。

このような種類のアートと結びつけられるもうひとりのアーティストがリアム・ギリックで、彼の色づけされたプレキシグラスの構造体は、「可能性として」鑑賞者との相互関係を示唆している。それらは、多くの場合何かのイベントのためにつくられた建造物の一部のように見える。《Arrival Rig》や《Dialogue Platform》など、彼の作品タイトルは企業経営にまつわる用語の冷めたパロディーであることが多いが、ギリックは鑑賞者の存在こそ作品の重要な要素だと強調する。「私の作品は冷蔵庫内のランプのようなもので」と彼は言う。「冷蔵庫のドアを開けてくれる人びとがいなければ機能しないもの。人びとがいなければそれはアートではない、そうではない何か、部屋にあるただのモノになってしまいます」

しかしこれは、どのようなアートにも言えることなのかもしれない。もしもアート作品が誰に見られることなく森の奥で倒れたとしたら、それはそもそも存在したのか、そもそもそれはアート作品なのだろうか？

アーティストや彼らの技能にそこまで焦点が当たらないという理由から、このような種類のアートを美術館やキュレーターが推進しているとしたら、その美術館やキュレーターは、自らスペクタクルの舞台演出を引き受けることによって文化資産や地位を我がものに

FUCK DA RICH
カナッペでもしばきたい気分
使用人部屋のインスピレーションを得た気分
PRADA

しているのではないか。私はときどきそんな想像をしたりする。

このような作品は多くの場合演劇やダンス、デザイン、建築、アクティヴィスムの領域を浸食し、あるいはカフェとして営業されたりもする。実のところそのような作品は、それら他ジャンルのものごととほぼ区別がつかない。それがアートかどうか判断する材料は、巨大なデザイナーもののハンドバッグを持った権力者の妻たちが多数いるかどうか、くらいなのだ。

Crack!

次の標石は、「ゴミだめ」テスト。

アートにまつわる次のテストは、かつての教師のひとりが提案したものだ。彼はそれをゴミだめテストと呼んだ。テストするアート作品をゴミだめに置いて、それを見つけた通行人が、なぜアート作品が捨てられているのかと疑問に思えば合格となる。

もちろんゴミだめ自体がアート作品である可能性もあるから、多くの素晴らしいアート作品はこのテストに適さないだろう。

一九六〇年、ジャン・ティンゲリーがつくった《Homage to New York》という作品は、機械仕掛けで自らをスクラップにしてゆく、巨大な金属製の彫刻作品だった。破壊は多くのアーティストが用いてきた。だからこのテストはそこまで信頼できるものではないが、それでも私はとても気に入っている。

アート界に定着したものがあるとすれば、それはもちろんアートの枠を爆発的に広げ、誰もが生活の中で利用し、そして私の人生一番の変革をもたらした技術であるコンピューターとネットだ。アートプロジェクトというものは今や実に簡単で、誰もがウェブ上で創造性を発揮し、ユーチューブやら何やらにビデオを投稿することができる。

それでは次の標石、「コンピューターアート」テスト。

ランカスター大学でメディア論・メディア史の教授を務める友人のチャーリー・ギアに、自分が見ているものがただの面白いウェブサイトではなく、インターネットアートだと判断するための定義を尋ねたことがある。彼が編み出した答えはこうだ。「ただ面白いウェブサイトではなくアートだと判断する方法は、それが結婚もハッピーエンディングも約束しないポルノ的なものであるか、だろう」

つまり、ジョークや意見、事実、目当ての商品、あるいはオナニー的体験を得るため、急かされるようなダブルクリックの先に満足を求める私たちを焦らし、欲求不満で宙吊り状態のまま手を止めさせ、ただ反応するのではなく思考を促すものであるか、ということだ。ただの物体とアート作品を区別する定義としてもよくできているのではないか。

もちろんここまで出してきたテストは完璧ではないが、それらをベン図にした時に重なった中心部分、そこにあるのはほぼ確実にアートだと言えるだろう。

すべてがアートになり得る今、残ってゆくものは何か

「すべての子どもはアーティストだ。問題は彼らをアーティストのままでいさせることができるかどうかだ」とピカソは言った。親は彼らの作品を冷蔵庫に貼るだろうが、すべての子どもがアートに秀でているわけではないことは誰もが知っている。しかし彼の言葉には真理があり、アートとはつまり、発散、直感、そして自由なのだ。

現代アート最大の敵のひとつが自意識だ。一九世紀中頃にアートの定義が揺さぶられて以来、現代アートの世界で生きるアーティストは、鑑賞者の存在や歴史、価値観など目の前を飛び交うすべてに切実なほど意識的になる必要がある。子どもに戻ることができたらどんなに良いだろう。しかし、アート界で無邪気のままいられるはずがない。アート界の掟、歴史、そして自分の置かれた文脈に対峙しながら、自意識にも向き合わなければなら

ないのだ。そのようなことを考慮しないアウトサイダーアーティストもつくり手として素晴らしいが、彼らはアート界でアーティストとして生きる上で必須の条件をこなす必要はない。一九世紀以降、アーティストであることの意味を見つけ出すことは、アーティストにとって最重要とも言える問題なのだ。

忘れられない出来事がある。あるレクチャーの後に学生がやってきて、泣きそうな顔でこう聞いてきたのだ。「アートで何をするか、どうやって決めたんですか？」答えに困りながら、彼女の手にiPhoneを見つけた私はこう言った。「そんなもの持っていなかったから」と。彼女の元にはあらゆるイメージがあり、どんな情報にも手のひらからアクセスできる。私が始めた頃は、そのようなものはなかった。膨大な情報とイメージに対処しなければならない現代を生きる若者はさぞ大変だろう。

しかし作品をつくることは大切で、なぜならアートから最も多くを得るのは、それをつくる者たちに他ならないから。その際、良いアーティストであることは必ずしも重要ではないが、しかし、そうでないのにそうなろうとする努力は、とても痛々しいものだ。

私たちが利用するウェブや、素晴らしい流通システムによってアートが霧散してしまう可能性も、きっとある。日常生活に浸透しすぎたことでアートが死の灰のような何か、爆発後にあらゆる文化の上に積もる埃のようになるかもしれない。ウェブは、アーティストのヨーゼフ・ボイスの考えを現実にできるはずだ。誰もがアーティストになれると彼は言ったが、ウェブ上ならそれも可能なのだろう。しかしだからこそ、私はアートの文脈上でアートを定義することを好む。アートを崇めることができる素晴らしい殿堂のような、それなりに明快な場所が欲しいのだ。

最終的にアートとは個人的体験、つまりそれに対するあなたの反応、あるいは私の反応がすべてなのかもしれない。それぞれの反応は異なるだろうが、それでも私たちは反応する。目の前に実際に存在しているそれが、あなたが立ち去った瞬間別の何かに変化しながらも残るという事実――あらゆるものを受け入れる知性の袋はありがたいものだが、私が求めるのは、袋ではなくその中に残り続ける何かだ。

もちろん、今あるすべてがアートになり得るという考えは二〇一〇年代中盤の現在、とても重要だ。私たちが現在考え、感じ、生きるということは、未来の人びとがさまざまなアートを振り返って、「おぉ、なんて典型的な二〇一四年もののビンテージだろう！」と言うことでもあるのだ。

評価が時代とともに変わるように、アートの定義もまた変化する。そして現代アートの領域とは、アートになり得るものによって定義されるのではなく、どこで、誰が、なぜ、という疑問によって形づくられる。

あなたが次にアートギャラリーを訪ねる時、この鞭の一打ち一打ちが境界を思い出す助けになることを望む。

（もちろん究極の皮肉——そしてこれは私の大好きな話だ——は、もしもあなたがアートギャラリーに行って、すべての始まりであるデュシャンの小便器が置かれているのを見たとしても、それは手づくりで複製されたものだということ。オリジナルは破壊され、人びとがそれに興味をもった頃にはその型の小便器はもう存在しなかった。そう、それらの小便器を手づくりしたのは、陶芸家だったのだ。）

3

素敵な反抗、どうぞ入って！

アートはまだ私たちを
驚かせることができるのか、
私たちはもうすべて
見てしまったのか？

お宝鑑定ショー

最近観たヴェルナー・ヘルツォークの映画『世界最古の洞窟壁画――忘れられた夢の記憶』のことから始めよう。フランス南部のショーヴェ洞窟で最近発見された三万年前のアートにまつわる素晴らしい映画なので、ぜひ観た方がいいと思う。私はそれらを、氷河期アートのタイムカプセルとして見ていた。二万年以上も開かれることがなかったなんて！

映画の中で、考古学者のひとりが壁を見ていて、そこには炭で重なるように描かれた馬の絵があった。「これらは同じ人間が同じ日に描いたように見えるかもしれませんね。作風も同じだから。でも私たちがこれらの絵の炭素年代測定をしたところ、五〇〇〇年の差があることがわかりました」と彼女は言う。それなのに、見た目がほぼ同じなのだ。

驚くべきことだ。これら古代の絵が並んで残っているということだけでなく、私たちの時代において革新と密接に結びつけられてきたアートという活動は、五〇〇〇年もの間同じ作風に留まっていたのだから。現在、アートはセレブリティのタトゥーよりも早く消えてしまうのに。

アートの世界は、目新しさと強く結びついている。ニュースのネタ探しに夢中な大手メディアは、そこにアヴァンギャルドがあるという考えに囚われがちだ。作品は常に「最先

展示期間：2014年3月17日まで
使用期限：2033年3月17日まで

端」でアーティストは「ラディカル」で展示は「型破り」、アイディアは「革新的」「画期的」「革命的」で、永遠に「パラダイムシフト」が続いている。

そしてもちろん、すべてのアーティストは自分がオリジナルであるという無邪気な夢を育んでいる。最悪の発言――展覧会のオープニングや内覧でアーティストに会った時などに起こり得る――は、「あれ、あなたの作品、なんだか×××を思い出させる」。絶対に慎んでほしい。これはとても、とても良くないことだから。

しかし、私やアート界に身を置く評論家の何人かは、アートは最終形態にたどり着いたと考えている。終焉ではない。すべてが終わったわけではない。私たちは、全方向型の実験を続けている。今や何でもアートになり得る。こんにち、それは皆が共有している前提だ。一九六〇年代中頃から一九七〇年代初期にかけて、ほぼすべてのことが一度は試され、あるいは提案され、今や何でもありの状態だ。だから、アートは形式上の最終段階に来ている。私にはそれが水平線の向こうに沈んでゆくのが見えるから、誰かに「今はこんなことしてる。斬新でしょ？」と言われたところでその答えは、「それ、何でも、という傘の下に入っているだけでそんなに新しくもないよ」となるだろう。

だからと言って、斬新でわくわくするようなアートがつくられていないということではない。そうではなく、アートを定義する境界から転がり出るような作品の概念など、もう出てこないということ。美のレシピに新鮮さと目新しさが必要なのは誰もが知るところだろう。斬新な何かを見ていたい。しかし、アートは現在くたびれてしまっている。もう、「アイディア自体は既出ですが、確かにこっちのほうが良いですね」と、答えることしかできない。

もしもあなたが今、最先端とは何かとアーティストに聞いたら、彼らの失笑を買うかもしれない。彼らは新しいアイディアを、操作されたトレンドとしてしか見ていないだろう。アートにおいて、美しさや文化の刷新はすっかり古めかしいものになっている。アイディアの多くは、押し合いへし合いの状態でゆっくり進んでいる。今やアート界では何だってできるし、もしもあなたがそれを正しく、しかも上手くできていれば、この世界でのポジションを得ることができるはずだ。

アートは今でも独創性の世界だ。しかし革命や反抗、そして地殻変動などという概念は、私が考えるアートを定義するものではなくなっている。一〇〇年前、モダンアートの展覧会場を訪ねた誰もが驚き気分を害したアートがあり、それらは野獣と呼ばれるようになる。一九〇五年、アンリ・マティス（今や観光バス客たちのお気に入りだ）やアンドレ・ドランを含む作家らによる展覧会は、同じ部屋にあったルネサンス様式の彫刻と比較されるかたちで、美術評論家のルイ・ヴォークセルによって批判的に「野獣（フォーヴ）に囲まれたドナテロ」と評された。そうして彼らはその後ずっと呼ばれることになる、「野獣派」と。ガルルル……。

そのような考えから、一世紀が過ぎた時点に私たちはいる。尊敬される美術評論家であり、惜しまれながらも近年亡くなったロバート・ヒューズは一九八〇年、画期的なテレビシリーズ『The Shock of the New』の最終回で、「アヴァンギャルドは、もはや年代物だ」と言った。

その思想に何が起き、私たちの文化のどこに残されているのか見ていこう。最先端やアヴァンギャルドといった考え方に、何が起こったのか？　それらは、私たちの頭の片隅にまだ残っている。私たちの文化に存在するアートは、もはや最先端のせめぎ合いではないかもしれないが、今でも独創性をもっており、もしかしたらまだ進化を必要としているのかもしれない。あるいは、実は進化は起きていて、しかしそれらは世界中に散らばっているため、すぐに気づけないだけなのか。私たちの向かう先にあるアート界とはどんなものだろう。最先端のアーティストがどのような存在か、考え方を調整する必要がありそうだ。

私にもベビーチャムをください！

美大に通いはじめた頃、革命や変化、そして反抗がアートに必要不可欠だと私は考えていた。大学で学んでいることの大部分はアートが嫌いだということ、などと当時私は冗談を言ったものだった。ピカソが好んだ表現に「我々はモダンアートを殺さねばならない」というものがある。アーティストでいることにおいて、いかに反抗精神が中心的位置を占めていたかわかるだろう。親殺しも推奨された。私たちの先をゆくものに対抗し、自分自身を確立しなければならなかったのだ。この衝動を体現したのが若きロバート・ラウシェンバーグで、彼は近代の巨匠ウィレム・デ・クーニングによるドローイングを手に入れ、ひと月かけて丹念に消した上で、それを自らの作品として展示した。アート界の愉快な傾向のひとつは、このような挑戦も楽しんでいることだ。一世紀、いや、一五〇〇年もの時が過ぎても、私たちは今なおこの革命と挑戦を推奨している。才能はあるが少々怒りっぽい若きはみ出し者が入ってきて、「お前は体制側だ！」と言い放ちその体制に拳を振り上げ、「ここに持ってきた私の素晴らしい発明をお前たちに見せてあげよう！」などと続けたら、アート界は目を伏せ、「ああ、そうだね、反抗的で良いね、ライオンさん！　どうぞお入り！」と道を空けるだろう。

そのような若き男女がつくる類のアートには、実はＭＡＹＡ（Most Advanced, Yet Acceptable＝最先端かつ受け入れ易い）という呼称もついている。この言葉は工業デザインの父レイモンド・ローウィが、どのようなデザインなら消費者に受け入れられるかという社会的な制約について語った時に生み出したものだ。

何でもありなアート界の放任主義をもってしても、そこには限界があると私は考える。過激化する蛮行の伝統（一九六〇年代に血や裸体を表現に取り入れたウィーン・アクショニズム、もしくは自らの腕を他人に撃たせたアメリカのパフォーマンスアーティスト、クリス・バーデンなど）は二〇〇三年、死産した赤ん坊を食べる自分を撮影した中国人アーティストの朱昱（シュ・ユ）によって、揺さぶりをかけられる。彼は何もわかっていない。彼はアートの本質が衝撃にあると考えている。彼の写真を観ても、人びとは「いやいや、彼は一線を越えた」としか思わない。

しかしもしかしたら彼は、こけおどしのアヴァンギャルドに対して「本物の衝撃とは何か見せてやろう！」と批判したかったのかもしれない。

あるいは、彼が撮影した写真が単にあまり良いものでなかっただけかもしれない。私の作品に限っていえば、対峙すべきは上品でアカデミックな嗜好とファッションだった。陶芸とは野暮ったくてダサいものであり、生真面目なフォークシンガーか、イヤリングをぶらぶらさせたヒッピーのおばさんたちが嗜むものでしかなかった。一九八六年（私が展覧会を開催しはじめた頃）、私の置かれた状況をよく表すベビーチャムのテレビCMがあった（知らない人のために言うと、ベビーチャムは往年の甘い炭酸アルコール飲料のこと）。CMでは、無作法なお嬢様が流行りのヒップなバーに入って、当時致命的に野暮ったい飲み物と考えられていたベビーチャムをオーダーする。彼女の注文を聞いて、賑やかだった客たちは驚き沈黙する。バーテンダーは手にしていたシェイカーを落とす。そこに超ヒップな男が現れ、オペラ歌手のように「ねえ、俺にもベビーチャムをくれよ！」と宣言した途端、バーは一瞬にしてこのニューでヒップな飲み物のオーダーで溢れかえる。

陶芸を続けていたのは、ちょっとした反抗でもあった。でも、自分はあのお嬢さんで、最初のディーラーとコレクターがあの男、そしてアート界がバーの客たちだったと本気で考えている。みんながベビーチャムを欲しがるようになるまで、私には一五年もの歳月が必要だったけれど。

グレイソン・ペリー
（大英帝国勲章三位、ロイヤルアカデミー正会員）って、
なんて寛容で才能に溢れているのでしょう！

私が言いたいのは、形式としては伝統的な壺をつくるという、保守主義に凝り固まった私の立場それさえも、いずれは歓迎されるということ。

そして私は、権力機関の純然たる一員としてここにいる。しかし私がアート界に入った頃、人びとがよく口にしていた言葉は「ポストモダニズム」だった。一九八〇年代初頭の時点で、常に進化し続けると信じられてきた「モダニズム」は終焉を迎え、何でもありの時代に突入していた。私としては、騙された気分だった。革命の旗を打ち立てアートの確かなムーヴメントに参加し、「おやおや、まぁ。あなたたちは錆だらけの鉄製彫刻をつくる老人でしかない。私たちはこんな作品をつくっている新人類だ」などとのたまう予定だったのに。一九一三年のニューヨークで、アメリカが初めてモダンアートの衝撃と対峙する場となるアーモリーショーを企画したアーティストたちのように、私も感じてみたかった。過去との決別を示すために、独立戦争の戦場に躍ったマサチューセッツの旗から拝借した松の木を展覧会のシンボルにした彼らと同じように。

私も、二〇世紀半ばのイギリス人アーティストたちのように、当時のアメリカのアートに遭遇したかった。一九六〇年代、ペダル式ゴミ箱の蓋を開ける足を描いたロイ・リキテンスタイン作品を初めて観たアレン・ジョーンズのように。彼はそれを、本物のカルチャーショックだったと言う。それが現代アートになり得るなんて、信じられない解放感を覚えたものだ、と。そんな体験がしたい。衝撃が欲しい。でも、そのような体験などなかった。

さまざまな街を起点としてイズムや主義が勃興する古典的なアートの歴史を学んできたのに、すでにそのすべてが崩れ去っているように感じた。一九六〇年代、アーティストたちは何がアートになり得るのかとあらゆる境界に対峙しながらも、真剣に向き合うことなく回れ右をした。だから私が登場した頃には、どんな様式のものであれとりあえずアートになっていた。アートは素敵な物をつくることでも、そもそも物ですらなくなっていて、哲学の一分派に過ぎなかったのだ。大学を出た頃の私は、まるで長年隠れ続けたジャングルを出て初めて、とっくに戦争が終わっていたことを知る日本兵のような気分だった。

アヴァンギャルドとフィフティ・シェイズ・オブ・グレイ

しかし私の苦闘は、いろんな意味で誤解に基づいたものだった。美術史というものは、イズム・主義の円滑な代替わりだけを意味するわけではない。ピカソにしても、一八九〇年代に活動を始めた頃は《アヴィニョンの娘たち》というモダニズム初期の傑作を仕上げ、そして一九七三年に死ぬまでずっと制作を続けた。実質的に彼はモダニズムより長生きし、その間現れたほとんどの芸術運動にも関わってきた。たったひとりのアーティストが。

アーティストたちは、自作の様式が賞味期限切れになっても――無様に――活動を続けることもできるだろう。最近テート・ブリテンは再び英国美術のコレクションの展示を始めたが、作品は正確な時系列に沿って並べられている。ある部屋では、ポップ・アートよりはるか以前に新聞の写真を元に絵画を描いていた画家、ウォルター・シッカートによる一九〇六年の荒々しくも生活感を感じさせるヌードのそばに、ヴィクトリア朝時代の作家であるローレンス・アルマ゠タデマ（作品はすべて想像上の過去世界を舞台に、艶めくようなヌードを描いたものだ）の作品が掛けられていた。一九九〇年代の部屋にあったのは、レオン・コゾフによる厚塗りの不穏な街頭風景、巨匠ブリジット・ライリーのカラフルで幾何学的な絵画、アーニャ・ガラッチオの枯れた花々で覆われたコンセプチュアルな壁、そして一見カジュアルに撮影されたように見えるヴォルフガング・ティルマンスの写真だった。

アートがまっすぐに進化し、現代アートのつくり手になる道はひとつだけだという考え方は少数でほぼ男性の、「確かさの妄信者」の専売特許でしかない。「確かさ」というものはとても危なっかしい。

二〇世紀に起こった多くの革命は今や毛皮に覆われたティーカップ〔アメリカ人女性アーティストのメレット・オッペンハイムによる立体作品《Object》のこと〕の中で空回りしているだけなのに、それらが国際的アートシーンという小さな村を牛耳っていた。怒れる若者だった当

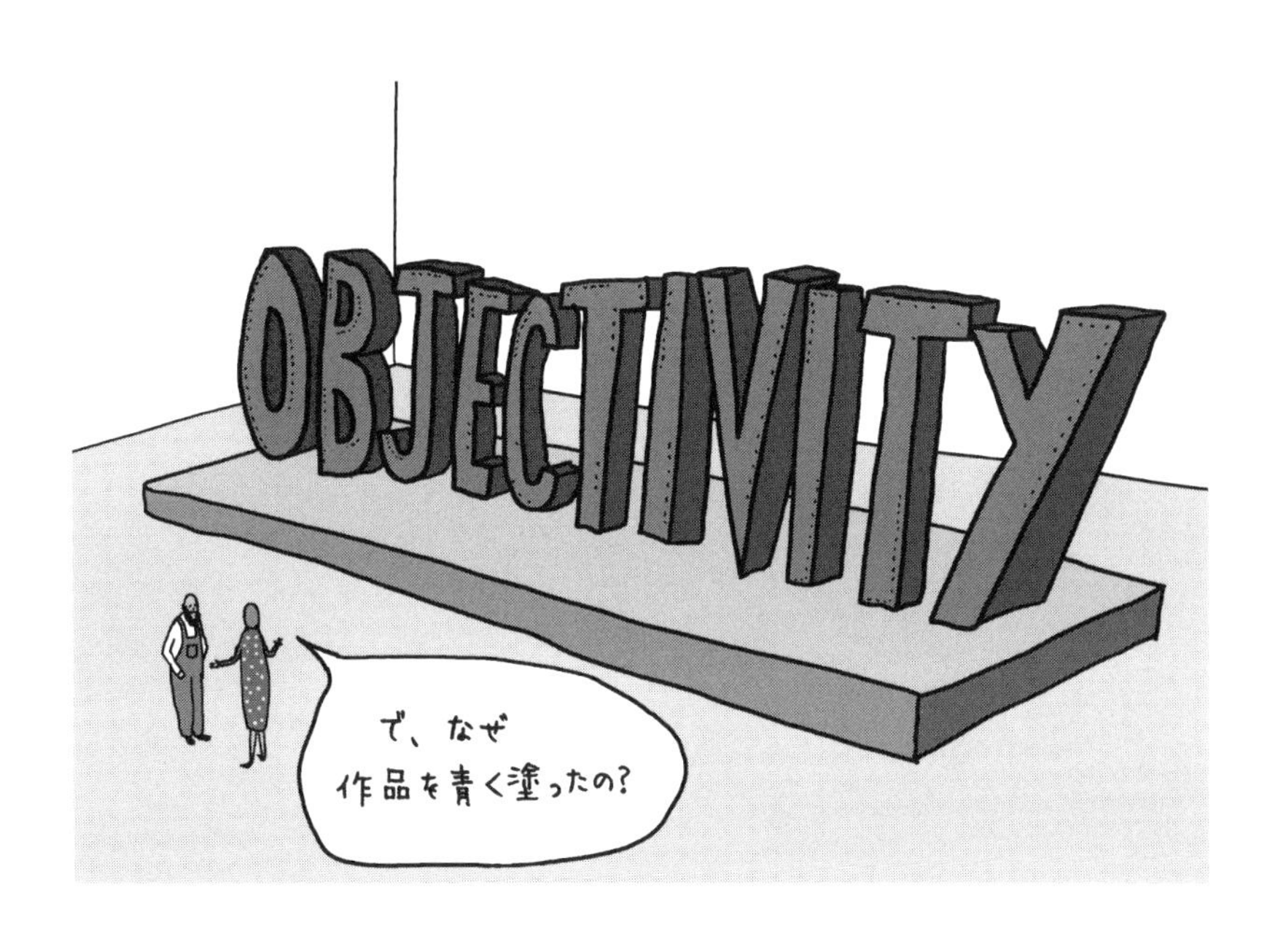

客観性

時の私にとって、誰も訪ねてこない文化の僻地で活動することには優越感も感じていた。ときどき小さなカヤックが批評家を乗せてやってくることもあるが、ただアート界に関係しているというだけで格好良く感じられた。アート界というものはそれ自体が高尚で、難解で、危険な場所だから。そして、反抗心は作品やその思想だけに見られるものではない。アーティストの生き方にもそれは現れていた。

　一九五〇年代に「ハプニング」と呼ばれるパフォーマンスアートの概念を確立させ、当時正真正銘の最先端だと認識されていたアラン・カプローは、一九六四年に「The Artist as a Man of the World（世慣れ人としてのアーティスト）」というエッセイを書いている。彼は（これはきっと当時温水の出ないソーホーのロフトに住んでいた多くのアーティストにとってかなり気に障ることだっただろうが）、アーティストが望むのは他の人と同等の心地よい中流の暮らしではないかと説いた。アーティストという職業も、他のあらゆる専門職とそんなに変わらない、と。いくぶん皮肉も込められているだろうが、興味深い考えでもある。

その一方で、一九六〇年代以降、社会の大部分はアーティストのライフスタイルというものを受け入れている。ヴァージニア・ニコルソン（彼女のボヘミアンとしての素晴らしい資質は、叔母が孤高のボヘミアン、ヴァージニア・ウルフであることからもよくわかる）は、「我々はもう全員がボヘミアンだ」と言った。確かに、タトゥーやピアスやドラッグ、異人種間のセックスやフェティシズムなど、かつて反社会的で危険だと認識され、アーティストたちが自らの自由と他者性を見せつけるために行ってきたことは今や毎週土曜の夜、リアリティ音楽オーディション番組『Xファクター』を通してお茶の間に届けられている。

残された真に危険なもの――あなたが目にすることのない唯一のもの――は脇毛くらい

バンドワゴン
「貧困は嫌だ」

ではないか。

どちらにせよ、アートにおいて反社会的であることは難しくない。アート界というものはかなり無難な場所だから。一方近年、最高に反抗的な行為をしたアーティストが、トレイシー・エミンだろう。彼女は、トーリー党〔イギリスの保守党の前身で、伝統的に右派の立場をとる〕を支持したのだ。

クリエイティヴな反逆者たちは自分が、「男性」率いる資本主義の構造に対しオキュパイ運動の参加者のごとく別の選択肢を提示できると考える。しかし彼らが気づかないのは、そうやって独創的でいることで、彼ら自身が資本主義の手のひらで踊らされているという事実だ。なぜなら、資本主義の活力源は新しいアイディアだから。現代アートは資本主義の研究開発部みたいなものだろう。カール・マルクスは「資本主義が手放せない性質」として、進化や新奇さに対するこの欲求に言及している。

それがどう機能しているか見ればわかる通り、アート界はまた、ネオリベラリズムの理想的な実践の場でもある。開拓者がやってきてアートを買うのは、社会において自らの嗜好が大きな流行となり、その投資が回収されることを望むから。他の投資家と同じように、彼らはアヴァンギャルドの将来性を買っている、つまりその未来に賭けている。そのクオリティを見分ける方法もないので、価値も驚くほど流動的だ。投資することで、多くの場合望み通りことを進めることができるのだ。

過去の突飛な行いすら、すぐに商品になる。一九六〇年、コンセプチュアルアートの作家イヴ・クラインが、彼の作品でもよく知られた《人体測定》という、当時としてはショッキングなパフォーマンスを発表した。そこで彼は、ヌードモデルの体にかの有名な青いインク〔クラインが開発したインターナショナル・クライン・ブルー〕を塗って、彼女らをキャンバスに押し付け印画し、それを美術作品とした。当時これは相当な事件だった。今やネットを開いて loveisartkit.com に行けば、体に塗る絵の具と下に敷くキャンバスのセットを購入でき、サイトのリード文によると、それを使えばセックスしながら絵画作品をつくることができるらしい。

つまり、一九六〇年代の過激なアートが、『フィフティ・シェイズ・オブ・グレイ』〔ベストセラーとなった官能小説とそれを基にした映画〕世代の淫乱生活のおもちゃになってしまうのだ。

アート界に放尿する

ここ三〇年で最も大きな変化は、現代アートの巨大化だろう。数えてみると世界には二二〇を超えるビエンナーレが存在する。

テート・モダンに私が付けている渾名は、カルト・エンターテインメント・メガストアだ。これはコミックや映画の関連商品を販売する、ある店から来ている。その店の名は「Forbidden Planet」で、その看板に「カルト・エンターテインメント・メガストア」と記されているのだ。しかし、なんだか矛盾していないだろうか。それがカルトである場合、少数の目利きしか興味を示さないはずだ。かつてアートがそうだったように。なぜそれが

DON

ずば抜けて
ナチュラルに
ヒップなエリア

デザイナーズブランドの
ハンドバッグとヘッジファンドの
マネージャーの移動（1995-2008年）

1990年以前から存在する
コマーシャルギャラリー

1990年以降オープンした
コマーシャルギャラリー

大いなる移動（ロンドン）

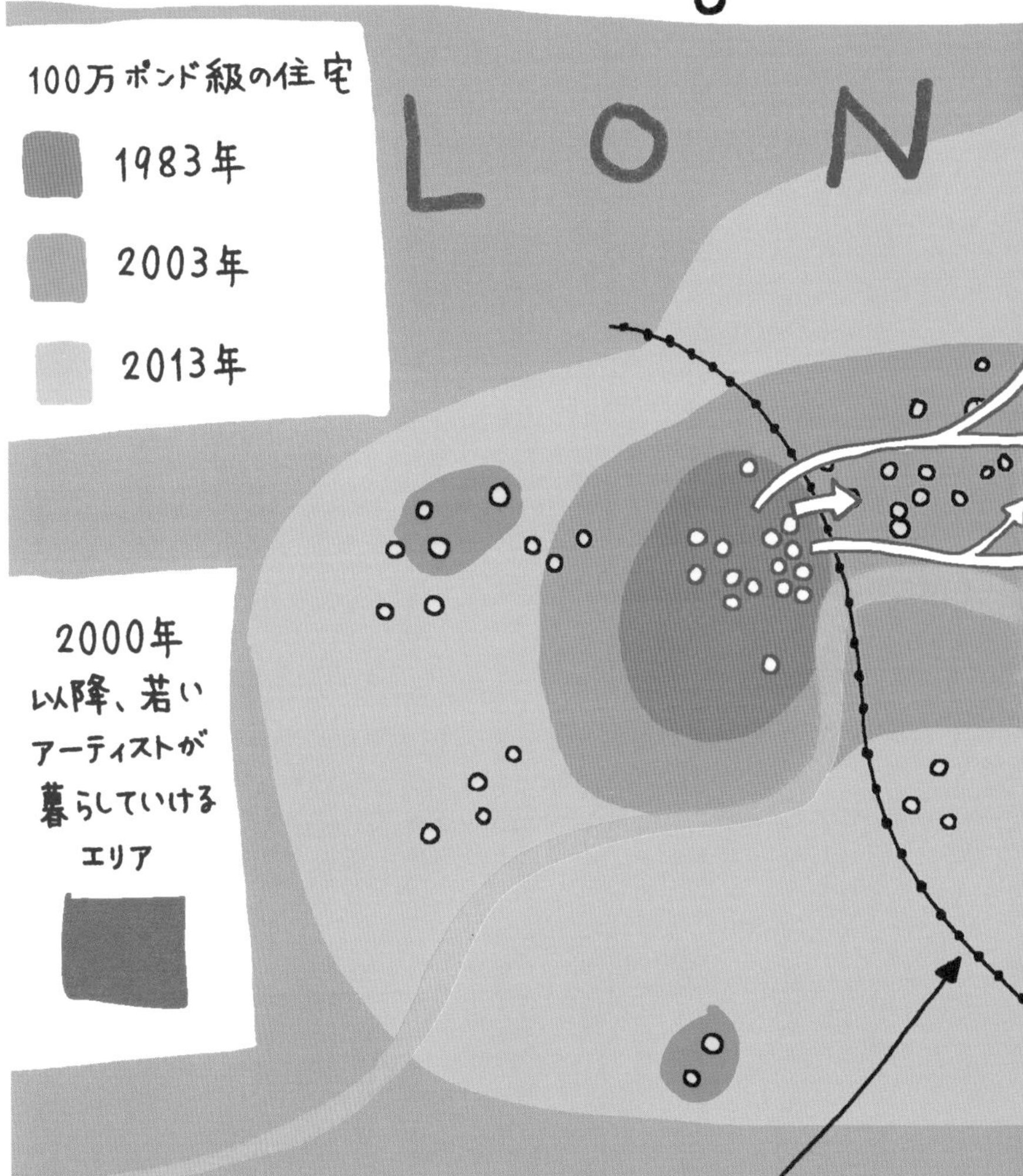
The Great Migration
100万ポンド級の住宅
1983年
2003年
2013年
LON
2000年以降、若いアーティストが暮らしていけるエリア
「テート」のフェンス

メガストアを成立させているのか。最近私は、アートギャラリーに行くたびに彼らの見せるブランド価値を意識するようになった。そうすれば、そのブランドの提供する美しいひと時の中にいるような気分になれるのだ。

かつて反社会的で使い捨てだったアートが、商品化され丁重に扱われている事実に、昔気質の前衛作家たちは激怒するだろう。一九九六年、境界荒らしの常習犯である音楽家ブライアン・イーノは、前衛的なロックが大衆化されたことに憤っていた。だから彼は、尿入りの袋にビニールチューブをつなげた道具を服に仕込んで、ニューヨーク近代美術館に展示されていたデュシャンの有名な泉を前に、展示ケースの隙間からその泉／小便器に尿を流し込んだ。のちにそれについて質問された彼はこう述べた、「その頃は非商品化(decommodification)が流行語のひとつだったから、私は自分の行為は再＝便所商品＝化(re-commode-ification)だと説明した」と。

アート界の商業化、アートが貨幣製造機となったことをアーティストが嘆いているのを聞くたびに、私はコメディアンのビル・ヒックスによる最高の寸劇を思い出す。「マーケティングや広告に関わってる人はいる?」彼が質問すると、人びとが手を上げる。そして、「お前たちなんか死んでしまえ！　今すぐ自殺しろ！　排気ガスを吸え！　お前らは悪の申し子だ！　世界に悪を広めてるのはお前らなんだから！」と言った後、それに反論する誰かを模すように声色を変えて、「ほら見て、いつものビルがいるよ。アンチマーケティング市場を狙ってるんでしょ。いい市場だよね、うん」。そして彼は「違う違う、そういう意味じゃない！」と言い、彼らは「ああ、わかった、正義感に燃えるタイプの資本に狙いをつけてるんだな。素晴らしい資本だよ。ヤングでヒップで。不労所得もたくさん抱えてるしね」と返す。

そこでは怒りすら——そしてこれは完璧な未来予想となったのだが——怒りすらも手懐けられてしまう。もちろん、アヴァンギャルドの御老人たちの多くが嘆くのは、凍えるような倉庫で裸体に臓物を塗りたくって走り回った古き良き時代を覚えているからで、今やテート・モダンには「The Tanks」というパフォーマンスアート専用のスペースすら存在する。それについて、まるでお触り自由なパフォーマンスアーティストの動物園みたいだ、と誰かがやたら辛辣なことを言っていた。

ニューヨークを拠点に活動したキース・へリング——悲しいことに他界してしまった——は、このような状態を、ある意味降伏と同質の静かな「抵抗しながらの承諾」と呼んだ。一方で、コレクターは聖油で清められたいと願っているのではないだろうか。自宅暖

おっと!
…ほほぉ

炉にジャクソン・ポロックが放尿したというペギー・グッゲンハイムのように。

現在、世界は驚きを欠いており、それはアート界でも同様だ。だから、白眼視すること——悲しい時代になったものだ——が、今のアート界における基本的態度になってしまった。これはよろしくないことだ。

ここでバンドEverything but the Girlのトレイシー・ソーンの言葉を引用しよう。とても上手く嘲りの問題を解説している。彼女が言うには、「芸術文化の世界に身を置く人間にとって、何かをごく誠実に受け止めることが難しいのは、それについてちゃんと考えていないように見えてしまうから。嘲りの問題点はそれが、両サイドから見てすべてを冷静に考慮した後の最終結果に見えてしまうこと。だから、嘲りを避けていると、深く考えもしない少々単純な人間と思われる危険性がある」。わかるだろうか？　すべてを白眼視することによって、自ら矛盾に陥っていることに。

私はその風潮から身を守る必要がある。仲間と飲んでいる最中ならひどく冷笑的だったり嘲笑的になってもまったく構わないが、遊びでやっているわけではないので、アートに向き合いたい時は誠実な一対一の体験が必要なのだ。人生をそれに捧げているわけだから。

そして、午前中ひとりで展覧会に行って「ほほう」と何か言いたそうになった時、少し待ってみる必要がある。私の中にある真摯な一部分を、意地悪な冷笑から守らねばならないから。

おそらく現在、アーティストに残された最も突飛な戦術は、誠実でいることなのではないか。それに、作品の驚きは形式ではなくその政治性や社会性に宿るはずだ。

アーティストが政治好きなのは、現実的かつ大真面目な話題の力を借りれば、その重大で大真面目な問題を笑われることはないと考えるからではないかと私は思っている。バーでアーティストたちが議論するのを聞いてみれば、その内容は抽象表現主義VSシュールレアリスムとか、映像インスタレーションVS巨大写真系などではないとわかるだろう。全然違う。彼らの話題は、誰が価値ある活動家で誰が金に目をくらませたエセ冷笑家かということなのだ。

いずれにせよアーティストでいることの良さは、自分のキャリアを自分で決められ、そして自分が何をするかを選択できることだ。それは金儲けのためかもしれない。政治的意見を発信したいからかもしれない。高尚な哲学者になるためかもしれない。アーティストの役回りはひとつだけはなく、無数に存在している。

一九九〇年代にその傾向が少し続いたように、アートが衝撃と同義で語られることには危険性がある。ショッキングな作品が増えすぎたために、人びとは美術展に行くとそのような作品を求めるようになってしまった。しかし、アートとは本来多様なものだ。（ここだけの話だけど）美しくたっていいはずだ。

利用されるアートと検閲されるアート

雑誌『Art Newspaper』のクリスティーナ・ルイスに、最前線はどこにあるか聞いたことがある。すると彼女は、まったく同じ質問を大物キュレーターのジェルマーノ・チェラントにしたという。

チェラントが言うには、彼が考える真の最前線に立つアートはある種の危機感をもっている、あるいは終わらない戦いに身を置いていると言う。例えばそれは実際にあったエイズとの戦い（一九八〇年代のニューヨーク）、そして言論の自由や平等を獲得するための戦い（フェミニズム、公民権など）に至るまで、多岐にわたる。かつては最前線にアイ・

ウェイウェイやシリン・ネシャットといったアーティストたちがいたが、「彼らの背後に西側の権威がついた」今はそうではないらしい。

政治性の高い作品が増える中、西洋人であることが信頼獲得において不利であるという考えが、アート界には確実に存在する。アフリカや南アメリカ、アジアにおけるモダンアートの歴史は熱心に紹介されているが、私たちがそれを理解できるかは別問題だ。なぜならそれらは異なる歴史や伝統、価値観をもつ人びとによってつくられたもので、様式的に見覚えがあると私たちが感じても、彼らの文化においてそれはまったく異なる意味をもっている可能性もある。

しかし本物であるということ——一貫性と誠意、真正さを宿していること——は作品をつくるため、すべてのアーティストに必要な素質だ。そして彼らは、それを自分で守らなければならない。

もちろん、同時にこれらの資質は市場において、とても、とても価値あるものだ。左翼のとんがった芸術家気取りは都市においていまだ高い経済効果をもつ。いくつかの土地で、その様子も見てきた。アーティストは、ジェントリフィケーションの突撃部隊のようなものだ。私たちは進軍する。私たちがまず、「この古い倉庫良いね、うん、安いスタジオが必要だしさ」と声をあげる。アーティストたちが安い住居やスペースに越してきて制作を始めれば、ちょっとした話題になる。なんたって彼らはクールだから。そしてきっと小さなカフェがオープンして、人びとは「へぇ、面白そうだね、アーティストたちがいっぱいいるらしいあのエリア。行ってみようか」と言いはじめるだろう。そしてデザイナーがオープンした小さなショップがボヘミアンな輝きを放ち、家賃が上がりはじめ、それから間もなく、誰にも気づかれぬまま開発の魔の手が伸びてくる。そして資本が投下される。

ディベロッパーは、アーティストたちが一〇年無料で暮らせるように金銭を提供し、どこかで生活させるべきだ。私たちは大変役に立つ商品なのだから。そうでなければ、アーティストを含む住人たちが暮らし働いていける安価な住居を、地域社会が充分に確保するべきではないか。

一方、興味深い近道をとったジェントリフィケーションもある。ベルナルド・パズというとても裕福なブラジル人鉱業王が、イニョチンという五〇〇〇エーカーもの広大な屋外美術館をブラジルのジャングルに建設した。そして彼はアーティストたちに、通常の施設に入りきらない巨大で野心的な屋外作品を、その非日常的な風景のためにつくってほしいと依頼した。裕福な観光客やゲストがそれらの作品を鑑賞できるようにホテルも建設中。

まるでステロイド注射を打ったジェントリフィケーションだ。彼は、面倒くさい「寂れた都市部のヒップスター」というプロセスを取っ払った。まっすぐに、ジャングルをジェントリフィケーションするに至ったのだ。

関連するもうひとつの傾向として、アート界における再民営化の動きが挙げられる。ニュースキャスターのフィリップ・ドッドは最近、ホワイトキューブなどの有名メガギャラリーの方がテート・ブリテンより世界的にも重要だと発言し、視聴者をうんざりさせた。公立の美術機関はそこまで資金面でも潤沢ではないので、個人もしくは企業からの資金提供、あるいはコマーシャルギャラリーからの金銭面での優遇を必要とする。それらのつながりが、利害関係の絡み合いにつながることもあるが。

「コト消費」の時代において、アートはビジネスに「信頼性を与え」る。巨額のスポンサー契約と引き換えに、企業はアートの商品化された反抗精神、そして天才による創造的かつ危うい魅力を利用して、市場における自らのアイデンティティを強固にしてゆく。しかし今や、個性やアイデンティティと聞くと私はうまく作用していないもの、似合っていないものを連想するようになった。あるいは企業は、手段を選ばず効率を最優先するビジネスモデルの目隠しをする、直感と感情で彩られたアートの化粧板を求めているのかもしれない。

アンディ・ウォーホルによれば、「ある会社が最近、私の「オーラ」を買いたいと言った」らしい。

アメリカ企業のモービル石油広報担当はさらに横柄だ。「このような活動によって人びとは我々をすんなり受け入れ、重大案件が危機に陥った場合、ある程度冷酷な態度をとっても見逃してくれる」。この会社がアーティストや美術館に対し冷徹な態度をとることは、一九八四年、スポンサーとして名を連ねるテート・ギャラリー〔現在はテート・ブリテンと呼ばれている美術館〕に訴訟をちらつかせ脅しをかけたことでも明らかだろう。理由は、開催されていたニューヨークのアーティスト、ハンス・ハーケの展覧会で、展示作品の一部にモービル石油社の方針に批判的な内容が含まれていたから。

このようにスポンサーが気を悪くすることを恐れた美術館、そしてアーティストですら自己検閲に陥ってしまう可能性もある。

アーティストのナム・ジュン・パイクは言う、「すべてのアーティストは、餌を与えてくる手に嚙みつかなければいけない……甘嚙み程度にね」と。

古い産業
クリエイティヴ・ハブ・カフェ

古い産業スタジオ
ボヘミアン・アパートメント

やがて廃れるテクノロジー

ナム・ジュン・パイクはビデオアートの先駆者だったが、現在最先端と革新を見つけられるもうひとつの場がテクノロジーの分野となっている。絵画に革命が起きたのは一八四一年、ジョン・G・ランドによって絵具チューブが発明された時だろう。突然絵画は身近なものとなり、そしてスタジオで顔料や油を丹念に砕き混ぜる必要がないので、外でも制作が可能となった。開放的な空気の中で描く――それは革命だった。

同じ頃、写真が絵画に対して哲学的難問を投げかけていた。写真がアートを代替できる今、アートとは何なのか？　これらふたつの発明は印象派の誕生に、そしてそれに続く「アートとは何だったのか――何なのか――」という問いにも大きな影響を及ぼした。

ハンドメイド界の旗手であるらしい私だが、他の現代アートのつくり手同様、基本的に作業は「新しいメディア」を用いて行われる。デジタル技術の採用だ。私はフォトショップ上で描き、タペストリーはコンピューター制御された織機によって、ものの数時間で織り上げられる。テクノロジーのおかげでそれまでは試そうともしなかった何かをデザインし、つくるようになったのだ。

しかし今や私たちは、誰かが開発したテクノロジーに頼ってばかりいる。過去のアーティストたちはテクノロジーの確かなる革新者でもあった。そして彼らの多くは、予言めいたインターベンション〔ある場所や状況などに介入し環境や人びとの意識に変化をもたらすアート〕を残している。コンピューターの世界では大昔になる一九八〇年、キット・ギャロウェイとシェリー・ラビノヴィッツというふたりの作家による《Hole in Space》という作品があった。ニューヨークのリンカーン・センターとロサンゼルスのセンチュリー・シティそれぞれにスクリーンを設置し、二地点を衛星中継で結ぶことで、別の場所にいる人びとがお互いの顔を見ながら話すことができるようにした。イベントは事前告知もされていなかったので、人びとの反応は即時的かつ熱狂的なものとなった。ユーチューブで「hole in space」と検索すれば、彼らがいかに夢中になっているかがわかるだろう。アーティストたちは、これを公共通信彫刻と呼んだ。いわば、そこにいた人びとが目の当たりにしたのは、スカイプのおばあちゃんだったのだ!

もちろん、アートでハイテク技術を使う危険性は、「未来」というものがすぐに陳腐化してしまうことにある。このような状況を私は「エイトトラック〔一九六〇年代のアメリカにて、主にカーステレオ用途で普及したカートリッジ式の記録媒体〕的瞬間」と呼んでいる。もしも作品が技術の目新しさに頼りすぎた場合、その技術が一般的になった時点でイメージは丸裸にされてしまう。フォトショップが巷に溢れて初めて、私はギルバート&ジョージ〔銅像のように自らをペイントした写真やフォトコラージュなどで知られる〕の複雑な写真作品をまったく違う観点から見ていることに気づいた。

一九八〇年代のビデオモニターが故障し作品が観られなくなることを防ぐため、美術館はビデオ録画機やテレビ、プロジェクターなど今は使われていない機材を多めに保管していると聞く。テクノロジーの進化は予想できないものだ。アメリカ人アーティストのダン・フレヴィンは、電器屋などで買った照明や蛍光灯を用いた作品で知られるが、今や作品に使う蛍光灯を手づくりしなければならないという。

そして現在、アートはテクノロジーを主導するのではなくそれに追随している、必死で。さまざまな点で、テクノロジーの方がアートよりも最先端を行く。もちろん、興味深い方法でデジタル技術を使うアーティストもいる。ジョン・トムソンとアリソン・クレイグヘッドというふたり組のイギリス人アーティストは、ささやかで示唆に富んだ、そして多くの場合面白おかしい方法でインターネット周辺に溢れる事象や技術に干渉、あるいはそ

1974年
ロボット・アーティスト

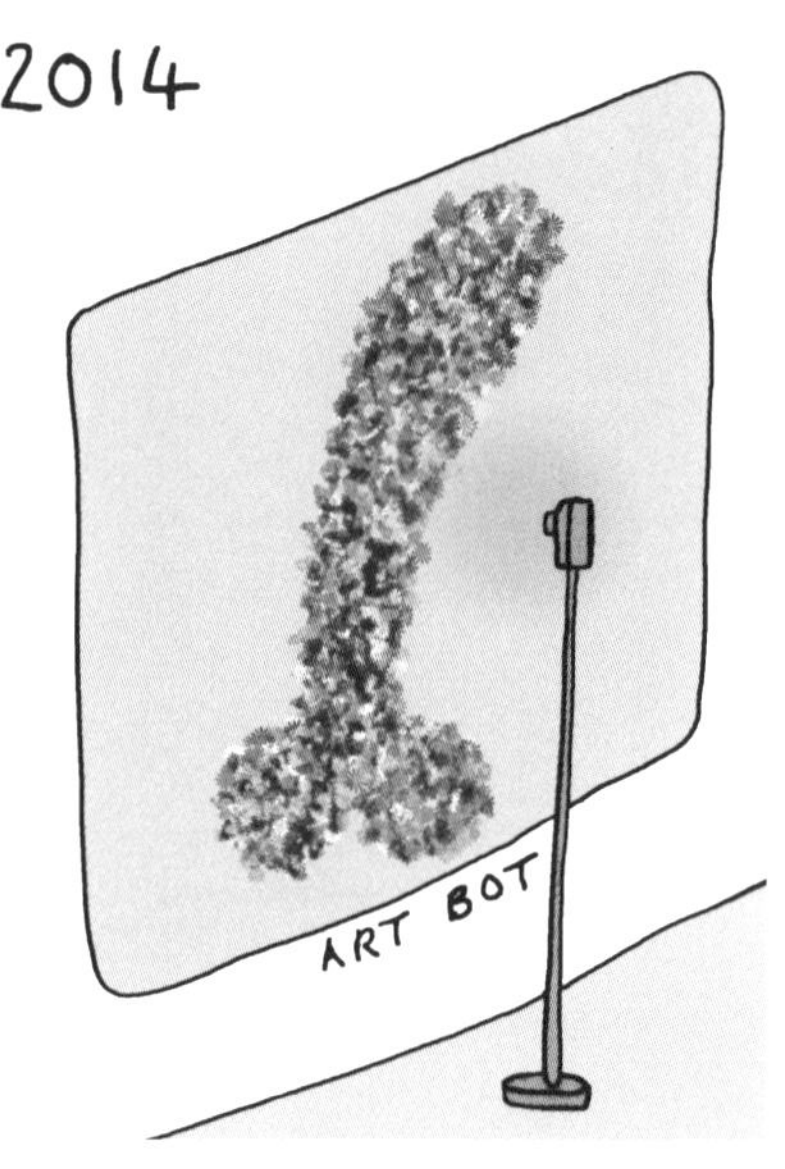

2014年
アート・ボット

れを改変させる。しかし、彼らはきっとグーグルアースの偉大さやツイッターの激しい罵り合いには敵わないと自覚しているのではないかと私は思っている。

誰もがアーティストになれるというヨーゼフ・ボイスの予言を実現させる、恐ろしいほどの可能性がインターネットにあることは確かだ。それは私たちが知るアートに終わりをもたらすかもしれない。誰もがプロデューサーとなれる時代、私たちは数え切れないほどに細分化した流路が交錯する凡庸の海に沈んでゆくだけ。嗜好の洗練を請け負うはずの者たちも溶けてゆくのみだ。

しかし一方でこれは、アートが受け入

れられたことも意味する。クリエイティヴィティが資本となる今の時代、アーティストの取り組みはますます大きな意味をもつはずだから。アートが変化しても、そこには常にアーティストがいる。しかしながら、私たちの生活を変化させ、私たちを驚愕させる文化は、もはや現代アートの世界に留まってばかりもいられなくなった。

私たちが暮らしの中でどのように考え、どのように物事を行うかについて、革新的かつ破壊的な効果をもたらしてくれる文化はほとんど生まれていないと言えるし、現代アートの中でそれが起こるなどありえない。それはきっと複数の土地で、例えば韓国のティーンエイジャーの寝室で、あるいはカリフォルニアのゲームデザイナーの会議などで起こるのではないか。もしミケランジェロが現代にいたら、彼は天井画など描いていない。そうではなく、CG映画をつくったり、3Dプリンターの技術を発展させたりしたりしているはずだ。

現代アートの主義・イズム

二〇世紀に続いたモダニズムの時代はマニフェストに象徴され、新たな芸術運動が起こるたび、人びとはマニフェストをアートギャラリーの入り口に貼り付けんばかりの勢いだった。それでは、現代の主義・イズムは何だろうかと私は考える。きっと、二一世紀とは多元主義の時代なのだろう。「これからは夢分析の時代だ」とか「これからは濃淡が溶けあうような色彩表現が主流になる」なんて、もう誰も言わないから。

それから、現在のアート界でもち上がるもうひとつのイズムがグローバリズムだ。こんにちのアート界は、世界中に点在する無数のアート界の連なりであり、さまざまな国々があり、新興国では常に新たなシーンが生まれている。もちろん、アート界の上に支配者のごとく居座る巨大なカエルのような商業主義というものもあり、それはとても強大な芸術運動として継続している。それと、昔からこよなく愛され、今も絶大な力を発揮する縁故主義というものもある。

もうアヴァンギャルドは存在しないと私は考える。度合いこそ異なれ世界中のさまざまな場所で、異なる媒体で実験が行われており、グローバル化した、そして多元化し多額の金銭が飛び交うアート界において、それは私たちと同じように細分化していったのだ。そのほとんどはくだらないが、昔もそうだったように、本当に素晴らしいものだって存在する。

もしも私たちがアートの最終段階にいるのなら、ここはアーサー・C・ダントーの引用をもってポジティヴに締めたいと思う。彼は、「マニフェストの時代が民族浄化と政治的に並行していたなら、多元主義の時代において、私たちは寛容な多文化主義の理想を見ているのだろう」と言った。

歴史を経た現在このように多元主義的となったアート界が、やがて来る政治的なできごとの前兆を見せているのなら、どんなに素晴らしいだろう？

自尊心の強いイギリス人冷笑家にとっては呪いにも聞こえる、こんなにも誠実な、いや、真摯ともいえる引用をからかう形でこの章を終えることに、驚き、あるいは不快に思う人もいるだろう。さて、ターナー賞を取った時に私にぶつけられた質問に立ち戻る良い頃合いだろう。「あなたはおもしろキャラ、それとも真剣なアーティスト？」ユーモアと悪ふざけは私の人生の大部分を占めているが、アーティストとしてどんなことがあっても数十年生き抜くことは、ただの笑いよりも強いモチベーションを必要とするものだ。だからこそ次の章では、これまでよりも重要かつ繊細な感性について語ろうと思う。

4

気づいたら私はアート界にいた

どうすれば
現代アートの
作家になれるのか?

秘めたる生／家族

まず取り上げたい基本的な疑問は、どうすれば現代アートの作家になれるのか？「そうだね、まずは自らそう名乗り何かを始めて」と答えても良いが、実際ことはそれより複雑だ。ここでは、アーティストになるという経験、そして精神的な意味で「自分自身を探すこと」、自己実現について話していこうと思う。『オズの魔法使い』のドロシーのように、気づいた時にはもう、私はこの「アート界」という奇妙で不思議に満ちた国に存在していた。それも本章のタイトルに込めたもうひとつの意味だ。

人びとはアーティストを、完全な姿で子宮から飛び出してきて、生まれた時から抑えきれない衝動を内に宿し才能を約束された神話上の生き物、と捉えがちだ。もうひとつの見方はピカソのそれで、子どもは誰もがアーティスト、というもの。そこに付け加えたいのは、私たちが成長する中でほぼ失ってしまう、自意識に捉われない創造の喜びを子どもは感じている、ということだ。私たちはかつてこの世界に疑問を抱くことなく遊び、描き、何かをつくっていたはずだが、歳をとって美術史を知り、自分がつくっているものは出来が悪いかもしれないと思いはじめると、何かをつくることがどんどん難しくなってしまう。

屋根裏部屋で苦悩するアーティスト、などというクリシェには加担したくないが、私たちをアーティストの道へと決定的に向かわせる、子ども時代特有の性質というものがある。

人間には、人間の脳には、自身のトラウマ体験を前向きな何かに変容させる奇跡的な能力があるのだ。この素晴らしい生存機能は、目を覆いたくなるような残酷さを、私たちを揺さぶる傑作へと昇華させる。

神経科学者のレイモンド・タリスは、「アートが表現するのは個が負った普遍的な傷、意味を欠いた有限の生を送るという傷だ」と述べている。そんな気高い道を私たちが進んでいるなんて、素晴らしいことではないか。

もちろん、すべてのアーティストが酷い過去を背負っているわけではない。原動力になるような過去のトラウマもなく幸せに生きているアーティストが――私の周りでは見かけないものの――多くいることも理解している。しかしきっとほとんどのアーティストが、その道に進むきっかけとなった、神格化された過去の決定的な出来事、若齢期にもたらされた核となるモチーフを挙げることができるはずだ。

最も有名な例は二〇世紀中期のドイツ人アーティスト、ヨーゼフ・ボイスだろう。彼は第二次世界大戦中、東部戦線で急降下爆撃機シュトゥーカの銃手として戦い、クリミアで撃墜された。彼が言うには、墜落し大破した機体から体が投げ出されたのち、数名のタタール人によって雪から引きずり出された。彼らは、満身創痍のボイスに脂肪を塗った後フェルトの毛布を巻いて暖め、病院に着くまで死なないようにした。それが、脂肪とフェルトという彫刻作品における彼の代名詞となった素材を使う、そしてタタール人の宗教に密接に関わったシャーマニズムを作品に取り入れるようになった理由、とヨーゼフ・ボイスは言う。

私が主に使う素材は陶土で、私の個人的な作家物語は、九歳の頃学校でつくった初めての壺に始まる。私はクラスの中でも少々行儀が悪かったのだろう、女子と一緒のグループにさせられ——その結果どうなったか薄々お気づきだろうが——陶器をつくるため、背中にボタンがついたポリ塩化ビニールのスモックを着せられた。私に与えられたものはきつめで、水色に艶めき、とてもきれいな教員助手がパチンと背中のボタンを閉じてくれた。一連の流れの中でやる気が溢れ出し、恍惚状態になりながら、私にとって初めての拙い陶器を完成させたことを覚えている。あの一九六九年の午後、ほとばしった感性がなんであれ、それが拓いた道の先にアーティストとしてのキャリアが待っていた。

なぜ私がその後、性をモチーフにした陶器作品などをつくるようになったか、作品の様式と子ども時代の体験に直接的な関わりがあると決めつけたくはない。それとも私は、自身の過去を神話化するために事実をねじまげ、その後の作品と辻褄を合わせたヨーゼフ・

ボイスと同じことをしているのかもしれない。なぜなら、彼が語った物語は実際には起こらなかったから。墜落は事実だったが、タタール人など来なかったし、彼の救助に用いられたという脂肪やフェルトもなかった。いや、私の物語は本当なのだけど。

子ども時代の困難とアート

幼い頃、アートは真剣な遊びだったはずだ。子ども時代の私は、自分のテディベアを王とする精巧なファンタジー世界をつくり上げ、いざとなったら逃げ込める場所にしていた。幼少期、そこは何か怖いことがあったら逃げ込んで生き延びることができるよう、必死でつくり上げた場だった。

確かに、最も重要なアートの目的はそのような遊びと同じく、子どもたちが避けられない困難に対峙した時、手助けすることでもある。

二〇一三年に訪ねた素晴らしい慈善プロジェクト「The Art Room」は、非常に困難な暮らしを強いられ居場所を求める生徒たちに開かれた、見事な設備と職員たちを有した美

冷蔵庫のキュレーションは
ゾーイに任せてる

術室だった。そこで彼らは、自分たちの創造性の片鱗に気づくかもしれない。そして彼らは、日常的に経験している悲惨な状況に振り回されることなく、物思いに耽る時間を得ることができるかもしれない。カウンセラーとしての経験をもつ教員たちが彼らをサポートすることで、その美術室と教員、そして作品づくりという行為が一体となり、彼らが安らげる場所が生み出されていた。

「The Art Room」の素晴らしさは、私自身もかつて経験した作品づくりのセラピー的な効用を具現化しているところにある。彼らの実践的な取り組みに私は深く感動していた。彼らは子どもたちに、冷蔵庫に貼られて終わる落書きではなく、捨てられてしまうことのない確かな存在感をもった作品をつくるよう促していた。例えば古い家具を見つけてきて、子どもたちに色を塗ってもらい、そしてそれを家に持ち帰らせる。カラフルなスツールやランプシェードをほとんど家具もなくて裸電球ばかりの家に持ち帰れば、きっとある種の自信が子どもたちの中に生まれるはずだ。とても小さなことだけど自分は世界を変えることができるのだ、と。なんにせよ、アートの最も重要な役割はその資産価値がもたらすものでも、都市の再開発を促すことでもない。その最も重要な役割は、意義を生み出すことに他ならないのだ。

若年者にとって、それはとても感じづらい変化でもある。彼らが作品をつくっている間、その意義や発しているメッセージ、彼らが表現している感情は、気づかれることなくこぼれ落ちてゆく。美大に行った方がいいかもしれないと美術教師が私に勧めた時、彼はきっと漏れ出した無意識を、浮かびあがるシミのごとく私の絵に見出していたのだろう。言語によるきまり悪そうな一〇代の自己表現以上に、私の自我がそこに表れていることに彼は気づいていた。

アートは、人生をより楽しくするための付け足しなどではない。氷河期を振り返ってみれば、アーティストたちは常に飢餓や寒さ、そして略奪に怯えながらアートを生み出し続けていた。作品制作のために何時間も、何時間も、何時間も費やした。自分を表現したいという欲求は、とても、とても深い場所に渦巻いている。問題はこの欲求、私たち誰もがもっているはずの原初の創造的衝動を、ティーンエイジャーの中にもアート界にも同じように渦巻く過剰な自意識の向こうに見つけ出すことだ。

そこに自意識はあるか

他に比べて過剰な自意識にそこまで苦しまない類のアーティストがいるとすれば、それはアウトサイダーのアーティストたちだろう。アウトサイダーアートとは美術教育を受けていない、そしてアート界やマーケットをほとんど意識していないアーティストによってつくられたものだ。彼らは心のおもむくままに作品をつくり、多くの場合それは彼ら自身のためのもので、美術史への目配せがなく、そして現在他のアーティストがどのような作品をつくっているのか認識はしていない。そしてもちろん、自意識もほとんどない。きっと、他の誰かに向けてつくろうなんて思いもしない。自分だけのためにつくり、誰にも見せることはないのだ。

最も有名なアウトサイダーアーティストのひとりが、一八九二年から一九七三年まで生きたヘンリー・ダーガーだ。心に深い傷を負った少年時代を経て、彼はシカゴの病院で用務員として働きはじめる。以来、仕事が終われば下宿先の小さな自室に籠り、数百もの大判のドローイングやコラージュを生涯にわたり描き続けた。中には長さが三メートルを超えるものもあったが、誰に見せることもなかった。それらが日の目を見たのは、彼の死後。彼は、それらの絵を挿絵とした『非現実の王国で』という一万九〇〇〇ページの小説も残していた。闘争、幼い残酷さ、そして嵐によって引き裂かれたその空想世界は、ダーガーが幼少期に感じた不平等と消えないトラウマを描き出せる場だった。七人のお姫様たちが登場し、子ども奴隷制や南北戦争がカトリックの教義と絡みあうように展開した。彼は、嵐に魅了されていた。創造することに熱中するあまり彼は自分の給料、用務員としてのわずかな給料のほとんどを費やし、雑誌で見つけた図版を写真に引き伸ばし、カーボン紙を使って自分の作品に転写していたことが、小説と絵画が発見された後研究者によって明らかにされた。彼は、絵の描き方がわからなかったのだ。

その事実が私を強く揺さぶる。自分は絵が下手なのだと考えた彼は、フォトショップもない時代、そのように複雑な手法を選んだ。彼の絵画には現在数十万ドルの値がついているが、彼が生きてそれを知ることはなかった。しかし、アートが彼に与えたものがひとつだけあると私は信じたい。それが彼に、私たちが知り得ないほど豊かな生を与えたのだと。

私がアーティストになろうと決めたのは一六歳の頃、美術教師が私の作品の表面に見え隠れする、埋もれたはずの感情を見た時だ。「自分はアーティストになる」と私は想像上の紙切れに記し、想像上のベッドマットレスの下に隠し、以来再び引っ張り出して見るようなことはなかった。

皮肉なことに、アーティストになると決心したちょうどその頃、私は遊びの精神を失った。今も覚えている。いつもは息をひそめ、何時間も夢中でレースや空中戦を繰り広げていた弟のミニカーを、私はひとりただ眺めていた。あの日私はミニカーをひとつ手に取り、我を忘れてそれに夢中になることはもうないのだと気づいた（我を忘れて、というフレーズに要注意）。自意識が芽を出したのだ。西の悪い魔女のごとく、羞恥心の覆いが私の空想世界に影を落としていった。ピカソの言葉を言い換えれば、ラファエロのように描くことができるまでに私は四年を費やしたが、子どもの頃に箱いっぱいのレゴに感じた、満ち足りた自由を取り戻すには生涯を要するだろう。箱いっぱいのレゴが立てる音は、最適なピースを見つけようと子どもの頭が活性化するノイズなのだ。箱を振ってみるといい、創造性が音となって聞こえるから。

アーティストになりたかったのは少年時代に絵を描くことが好きだったからで、しかし一方で私は現代アートの作家が何をしているのか、よくわかっていなかった。アートギャラリーなどという場所にもほとんど行ったことがなかった。

最近、ホワイトチャペルアートギャラリーで働く友人が、担当している教育プログラムで出会った少女について教えてくれた。その企画の始め、彼女は子どもたちに「現代アートの作家さんは何をしてると思う?」と聞いたという。するとひとりの子どもが大人びた様子でこう言ったそうだ、「スターバックスに集まってオーガニックサラダを食べてる」と。それは街のおしゃれな地区にいる多くのアーティストの振る舞いに対する正当な評価のような気もする。プログラムの最後、アーティストたちが何をつくってきたかを実際に見た後で、友人はもう一度、「今なら、現代アートの作家さんが何をしてると思う?」と尋ねた。すると同じ子が、「何かに気づいてる」と言った。あぁ、アーティストの役割を表す、なんて完結で明快な定義だろうかと私は驚いた。私の仕事は、他の人が気づかない、その何かに気づくことなのだ。

哲学者であり作家のアラン・ド・ボトンは著書『プルーストによる人生改善法』において、プルーストがその代表作の舞台とした架空の村コンブレーを探す人びと（文学好きの旅行者）についてこう語っている。その旅行者たちは多くの意味で間違いを犯している。彼らのヒーローに真の敬意を表したいのなら、自分たちの目で彼の世界を見るのではなく、プルーストの目で彼ら自身の世界を見るべきなのだと。

君もカール・アンドレ8世だ！
私たちは皆がアーティストとして生まれたわけではない！

アーティストのキャリアと展望

アーティストの仕事は、新しいクリシェをつくり出すこと。

しかし、アーティストになるということは、衝動を抑えないようにしたり、自分の人間性を表す無意識の欲望に火をつけたりすることではない。どこかで、そのような欲求は手懐けていかねばならない。アートのキャリアという梯子は実際のところつるつるの登り棒であり、美術大学に行くという選択は数少ない足がかりのひとつになるだろう。もちろん、美大に行かなくてもアーティストにはなれる。アウトサイダーアーティストがその素晴らしい例だ。しかし不可能とまでは言わないまでも、大学を出ていない場合、アーティストとしてのキャリアを築くことはかなり困難だ。

もちろん、アートなどキャリアにはならないと多くの人は言うかもしれないが、自らを現代アートの作家と定義する私たちは、「キャリアが欲しい」のだ。正規の美術教育を受けていない天才などというものは、私には古臭い概念に思える。少なくとも欧米においては。もしかしたら、現代アートシーンが発展途上の国には、まだ発見されていない天才たちがいるのかもしれない。しかしここ西洋では、美大に属したこともないのに現代アートの優れた作家として頭角を現す人がいるという考えは、奇妙だし少しナイーヴにすら思える。

面倒だし困難なことではあるが、美術教育を受けると決心することは、自意識の上級クラスに申し込むことでもある。皮肉なことだが表現に立ちはだかる敵は、自分の作品をアート界に知らしめたいというねじれた願望だろう。二〇〇年前、「彼らは独学でアーティストになったらしいが、彼らに学びを与えたというその人物はそもそも無学なのだ」と画家のジョン・コンスタブルは言った。

そして私が母に「美大に行くことにした」と言った時に返ってきたのは、労働者階級の親から返ってくるであろう普通の反応、「それはちゃんとした仕事じゃないでしょ」だった。いろんな意味で、彼女は正しかった。

ビジネス・イノベーション・技能省による報告書『二〇一一年 高等教育の恩恵』の三一ページには、なかなか厳しいグラフが記されている。これを取り上げるのはかなり気が引けるが、この状況に目を向けなければならない。大学で学んだことのない人たちと比較して、美大卒業生の稼ぎは彼らよりわずか六・三パーセントほどしか上回っていないということに。しかし、そこには驚くべきジェンダー差がある。女性に限って見れば彼らより一一・七パーセント多く稼いでいるが、男性だけを見ると逆に一パーセント少ないのだ！

確実にお金を稼ぎたい場合、誰も美大に進もうと思わないことは明白だ。しかし、こんなにも多くの若者が借金や挫折を覚悟しながら、それでもなおアートを信じているということに私は勇気づけられる。統計が彼らの顔をじっと見つめ、自らの貧困を永続させることになるぞと言い続けても、それでも彼らは進む。素敵なことだと思う。とても良いことだと思う。

最近ファインアートの学生たち数名と話す機会があったが、彼らが美大を選んだ理由は、根本的には私とほぼ変わらない。聞こえてくるのは同じ不安だ。自分は誰で何がしたいのか、自分を見つけたいという必要性、自由を望みながらも何をすれば良いか知りたいと渇望している。彼らの多くはまだ「何か」をつくっている最中だが、世界には本当にたくさんのアーティスト、ギャラリー、可能性、影響、技術があるという途方もない問題にも直面している。ある若者は、もしアイディアが思い浮かんでも、検索すれば、ほぼすべて世界のどこかの誰かによってすでに行われている、と言った。

破れた夢のごった煮を後に、バスターミナルへ

美大の外にある廃棄物用コンテナは、地上で最も酷い物体の収容所だろう。なぜならそれらはただ酷い物体であるだけでなく、アートになろうとした酷い物体だからだ。コンテナは、まるで破れた夢のごった煮［potpourri ＝ポプリ。「腐った鍋」の意も］だ。

しかし、それが正しい姿だ！　美大は実験の場であり、独自の自由が担保された場でもある。多くの場合、その自由とは間違いを犯す自由だ。美術評論家のマーティン・ゲイ

フォードは「アートという学問、あるいはその真理において、大部分を占めているのが失敗だ。例えばルネサンスとは、古典・古代の創造的誤解に基づくものだった」と書いている。「一九世紀アートの多くは、中世（そしてルネサンス）の不正確な理解から生まれたものだ。ピカソはアフリカの彫刻がもつ意味について何ひとつ理解しないまま、それを《アヴィニョンの娘たち》の参照資料として用いた」と。

美術史とは古くからある子どもの遊び、伝言ゲームのグローバル版のようなものだ。その魅力や面白さは、人びとが聞き違えることにあり、それは創造性をもち続けるためのとても、とても重要な過程でもある。もちろん、自分の失敗に気づくことは辛い教訓にもなり得る。

美大で学ぶことの本質を要約するのは難しい。最も重要なのはその場所特有の感性に触れること、アーティストになるとはどういうことなのか、という感覚を育むことだと思う。あなたは見習いボヘミアンで、旅の同行者も一緒にいて、すぐ使える施設や頼れる講師もいる。気の知れた人びとに囲まれているというこの感覚は極めて重要で、私が心を動かされることでもある。この本で私はアート界の尊大さを嘲笑いその矛盾をネタにしたが、それは親しい友人をからかうようなものだった。本当は、アート界に足を踏み入れた時、私

「もっとマシな失敗を」
美大の外に置かれた廃棄物用コンテナ：富／自由／自分探し／独自性／
セックス、ドラッグ＆ロック＆ロール／美／名声は不思議なオズの国ではなく故郷カンザスにたどり着いたように感じていたのだ。

自分の家族や周辺の社会にうまく馴染めない若者にとって、両手を広げ、寛容さとともに自分を受け入れてくれる美大に入学することは、目が覚めるような体験となるだろう。周囲から浮きがちな彼らにとって、自らの創造性に対する容認と寛容ほど重要なことはない。美大にいるという体験は一見変化がなさそうに見えて、あなたはそこでアートが、そしてアーティストでいることがその瞬間に何を意味するのかという理解を、身体的な理解を得ているのだ。

技術を学ぶ喜びもある。それを学んだ途端に、あなたはそれを介して思考するようになる。新しい技術を学ぶほど、私の想像的可能性は広がっていった。技能を会得することはとても重要だ。よりうまくその技術を使いこなすことで、自信と迷いのない動きを得てゆく。一万時間かけて技術力が向上したことで得られる、集中時の「弛緩した迷いのなさ」が私は好きだ。それは伝統的な技能かもしれないし、公営駐車場でインターベンションを行うための交渉力かもしれないし、ツイッターを通した人集めの技術かもしれない。

最終的に、学生たちは自分が唯一無二の存在であることを確信して、先に進みたいと願うだろう。しかし、古いことわざが言うように、独自性とは物忘れのひどい人びとが使いがちな言葉だ。

もちろん、独自性というものは存在するし、それに遭遇した時に感じる大きな喜びは、アートに興味をもつ人にとって最上の体験となる。しかし、素晴らしいアーティストは、彼ら自身の声を見つけるまでにかなりの時間を要している。アートのキャリアは結局マラソンのようなもので、決して短距離走ではない。

そのプロセスを説明する最良の例えを生んだのが、フィンランド人写真家のアーノ・ミンキネンだろう。二〇〇四年に彼は、「ヘルシンキバスターミナル理論」なるものを提唱している。あなたが美大を出て、自分のスタイルを得てアート界で進む道を選ぶことは、まるでヘルシンキバスターミナルに向かうようなものだと彼は言う。そこには二〇ほどの乗り場があって、それぞれの乗り場に一〇台のバスが発着する。あなたはバスを選び、それに乗車するだろう。ひとつひとつの停留所はあなたのアートキャリアにおける一年とする。停留所を三つほど過ぎた後あなたはバスを降りて、ギャラリーを訪ねて作品を見せ、そして彼らが言う。「はい、とてもいいですね。でもちょっとマーティン・パーっぽくないですか」と。あなたは「なんだって！　自分には独自性がない、自分は唯一無二じゃなかったとでも言うのか」と激しく腹をたてる。それからあなたはタクシーでターミナルに戻って、別のバスに乗るだろう。もちろん、結果は同じだ。あなたに必要なのは、ミンキネンによれば、とにかくすぐにバスを降りるなバカ！ということだ。

なんと的確な説明だろう。なぜなら多くのバスは大抵、ターミナルを出た後同じ道を走り、一〇から二〇ほどは同じバス停に停まる。ほとんどのアーティストはキャリア初期の一〇年、何かしら外部からの影響を受けるだろう。独自性というものは獲得に時間を要する。キャリアを形成するにも時間がかかる。私も三八歳になるまでは全然お金にならなかった。行き先が見えてきたのは、かなりの距離を走った後だったのだ。

（私はポーツマス・ポリテクニックをそれなりの成績で卒業した。誰も聞こうとすらしないけど。そういえば昔ラジオでインタビューを受けた時、ポーツマス・ポリー〔ポーツマス・ポリテクニック（現ポーツマス大学）の略称〕とはあなたの女性的アルターエゴなのか、とジャーナリストにからかい半分で聞かれたことがある。）

大学を卒業した私は他の多くの人同様、すぐ大学院に出願した。この世に溢れるアーティストの単なるひとりになってしまうことが怖かったから。チェルシーの大学院に出願したが、落ちた。当時言われたことを引用すると、私は「アーティスト的すぎて学生として足りないものがある」とのことらしかった。

それまで何年も教育を受けてきた若いアーティストにとって、最も困難な瞬間は美大を卒業する時だろう。突然、あなたは世界に放り出される。守られることもなく、方向性もわからず、近年だと多額の借金も抱えているだろう。卒業生にとってだけではなく、彼らの親たち、特に自分たちの子どもが足を踏み入れようとしている世界についてほとんど理解していない親たちにとっても不安な時期だ。卒業制作展で地方から出てきた親たちが、可愛いビリーやジリーがこの三年何をしてきたのか、そして階段の欄干に糸を巻き付けたり、段ボールで戦艦をつくったり、ひたすら影を撮っただけの映像などで、この先一体どうやって生きていくのかと困惑の表情を浮かべているさまを見ると、胸が張り裂けそうになる。

若きアーティスト、あるいはデザイナーとして、あなたはいかなるチャンスも逃すべきではないと私は思う。もし誰かが小規模ながらも展覧会の機会を与えてくれたり、グループ展に誘ってくれたら、どんな小さな機会でも摑むべきだ。その先に何が起きるかわからないから。あなたがその名を知る成功したアーティストたちも皆きっとそのキャリア初期に、どちらかといえば取るに足らない、きっかけとなった出来事があるだろう。しかしそれが結果的に誰かとの出会い、そしてその先へとつながってゆく。私の個展でとある美術館の人間が作品のひとつを安く買い、その後館の地下で眠っていたそれをキュレーターが見つけ、展覧会に加え、そして私はより大きな展覧会の機会を得ることになり今に至っている。

時には創造性に身を委ね、馬鹿げたことをやってみる必要もある。創造性にまつわる最も好きな言葉のひとつが、作家のロバート・M・パーシグの『禅とオートバイ修理技術』にある。彼が言うに、アイディアとは藪から飛び出してくるふさふさの小動物のようなものであり、最初に出てきた一匹には優しく接しなければならない。なぜならあなたの頭に浮かんだ馬鹿みたいなそのアイディアが突如、以降一〇年にわたり相当額の収入をもたらす重要な作品になり得るのだから。「あぁどうしよう、この展覧会には立派なアイディアが必要だというのに」と人は嘆く。しかし、それが正しい考え方なのか私にはわからない。例えば私の技能とは、『Xファクター』にチャンネルを合わせてビールを開け、そしてフェルトペンを取り出す、というものでしかない。

アーティストでいること、作品をつくり続けること

学生であることとアーティストになることの間には、はっきりとした区切りがある。この区切りが何なのか、私にもわからない。きっとそれは、アイデンティティにまつわる何か。パーティに行って何を仕事にしているのか誰かに尋ねられ、「私はアーティストです」と答える。その言葉を発するにはそれなりの勇気がいる。その答えにまだ充分な自信をもてないかもしれないが、あなたはそこで区切りを越えた。あなたは危険に満ちた道を歩き出したのだ。ここまで来れば、私の陰鬱な誠実さを見せても良いだろう。アーティストになるというのは素晴らしいことだ。あなたが進むのは、意味を求める巡礼の旅。それこそ私が達成した最も誇らしい出来事のひとつ、大英博物館での展覧会「The Tomb of the Unknown Craftsman（名もなき工芸家の墓）」の中心的テーマでもあった。

何年も前にギャラリストのセイディ・コールズと交わした会話を今も忘れることができない。「所属アーティストを探している時、彼らに求めるものは何か」と彼女に聞くと、

返ってきた答えは「コミットメント！　アーティストでいることに対する真剣さ！」だった。

私が知る成功したアーティストのほとんどは規律正しい人びとだ。時間を守るし、長時間の作業も厭わない。私たちが皆混沌とした不安定な暮らしを送っているというのは神話に過ぎない。アーティストたちは、出来る人間なのだ！　彼らはアーティストになりたいのではなく、ただアートをつくりたいのだ。作品づくりを楽しんでいる。私がよく引用する言葉、このことについて考えた時に思い出すキルケゴールの言葉がある。「かつて人びとは知識を愛した。今や人びとは「哲学者」になりたいだけだ」

しかし一九八〇年代から一九九〇年代にかけて作品が評価を得る中、「技能をもった労働者に対する適切な給与の範囲を逸脱してしまった」と思えるところまで私の稼ぎは到達していた。作品価格も非現実的で、「欲しい人はいくらだって払う」世界だった。その頃の状況を、ナプキンにドローイングを描くだけで高い食事代を帳消しにした伝説で知られるかの作家に例えて、「ピカソのナプキン症候群」と私は呼んでいる。これは、何でも黄金に変えるミダスの手のようなものだ。私のちょっとした落書きも、サインですらも経済的価値をもつようになったのだ。コレクターの需要を満たすために代表作のスタイルを量産したいという欲求には抗いがたいものがある。あなたがサインしたすべてがお金になるのだから！　アンディ・ウォーホルのようなアーティストは、それを文字通り実行した。彼がサインをすれば、一ドル札が突如一〇〇ドルの価値を得る。そして現在それらは、数千ドルもの価値を得ているのだ！

マルセル・デュシャンは「やろうと思えばこの十年で数にして数十万ものレディメイドをつくることもできたが、それらは全部まがい物に成り下がるだろう。過剰な制作がもたらすのは凡庸でしかない」と言った。

しばらく順調にアートのキャリアを重ねてきて、私たちはそれでもなお煌めきを、童心のようにゆらめく大切な火を途絶えさせることなくここまできた。アーティストを簡単で気楽な職業だと私自身も感じている、人によってはそう思えるのだろう。パーティに行くと「お仕事は？」と聞かれ、「はい、私はアーティストです」と答える。すると彼らは、「楽しいでしょうね！　なんて楽しそうなんでしょう。ずっとこねくり回して、陶器を。とっても楽しそう！」と言い、私は「想像してください」と、こう返す。「想像してみてください、そうですね、大きな美術館を。大きな大きな美術館を。彼らがあなたに展覧会を打診し、そこにあるのは巨大な空間です。その真っ白な空っぽの部屋をあなたは満たさなければならない。一、二年やそこらでその空間を作品で満たし、たくさんの人、きっと数千人の人びとがそれを観に来て、取材陣もやってきて、それについて書き、議論し、そして私はそれらを売る必要がある。そして、そう、特定の人びとの反応、それが私の収入にも影響します。あるいは他の人たち、アシスタントやギャラリーで働くスタッフの収入にも。その上で私は、子どもの屈託ない喜びを失うことなく作品をつくらなければならないなんて！　純粋に楽しい仕事だと思えますか？」アート、それは真剣なビジネスなのだ！

この世界に必要な装備と守るべきもの

私自身、キャリア初期に長らくくすぶっていて良かったことのひとつは、その間に内なる自分を見つけていたこと。すべてのアーティストはそれぞれの方法で、創造性の微かな光源を内に秘め、それを育みながら、アーティストとして成長してゆくという茨の道を進

アーティスト・アクションフィギュア

んでいる。これは、私を含む多くの作家が語れずにいる、取扱注意の割れ物のようなものだ。なぜなら私たちが立ち回るアート界を覆う空気は、創造の源泉であるその繊細な体内組織を、あっという間に腐らせてしまうものだから。しかし私は、その創造性の光源を守る。私はそれを、干からびた皮肉の盾と、嫌味の兜、不真面目さという胸当てを装備して守り抜く。そして私は、念入りに研いだ冷笑の刃をふるう。なぜなら、何年も何年も私を動かしてきた、内に宿るそれはとても弱く、この世界のギラついた輝きに晒すことなどできないから。

「情熱」「霊性」「深淵」など、自分に禁じている単語がいくつかあるが、何が私を制作に掻き立てるのか説明する時、ついそれらに手を伸ばしてしまいそうになる。しかし動機というものは脆いので、クリシェからは守られるべきだ（私がクリシェに強いアレルギー反応を起こす理由は、母が牛乳配達員と駆け落ちしてしまったことも理由だろう）。

ある時私は、ジェニファー・イェインという女性に会った。彼女が何者かは知らないが、こんな引用を口にした。「アートとはドラァグの装いに身を包んだ霊性だ」と。

私はそんなこと言えないが、しかしそれはあなたがアートを鑑賞している時、目にしているものを説明してはいないだろうか。アートの色彩や美しさに魅了されること——それは、誰に気づかれることなく霊性に接続する方法でもある。アートを観ていると、私たちは突然霊的な瞬間を経験する。しかしさっきも言ったように、私の口からこれ以上そのようなことは……。

私にとってアーティストとして活動することがどのようなものか、最も的確に説明するメタファーは、避難所のそれだ。私の頭の中にあって、ひとりきりでいられ、世界とその複雑さを処理する場所。そこは、我を忘れ思考にひたることができる内なる小屋だ。

精神分析医のスティーヴン・グロシュが、フランスに建つ家の改装計画についてばかり語る患者のことを書いている。室内をどう装飾するか、家具はどうするかを考えることが、彼にとっていかに楽しくて夢中になれる作業かということ、そして人生がどうしようもなくなった時には、自分の精神をその場所に向けるということ。彼は、フランスの家をめぐる素晴らしい計画に思いを馳せることで安心感を得ることができた。しかし心理カウンセリングが終わり、帰ろうとした彼が振り返ってこう言う、「もう知ってるんでしょう、グロシュ先生。フランスに家などないことを。知ってるはずですよね」と。

私はそれを読んで笑うほかなかった。彼が向かう場所が、私のそれと完全に共鳴していたから。そこは、彼がアーティストになれる避難場所なのだ。

牧師さま、
私たちのトランスジェンダー
支援グループの精神に理解を
示していただいて嬉しいこと

終わりに

ここで取り上げたことについて考える時間はとても楽しかった。これは、アート界の一部として数十年以上過ごして私が得た、途方もない喜びを反映したものだ。ある意味この本は、アート界へのラブレターでもある。私がからかってばかり（いじめてばかり）だったのは、アート界がそれを余裕で受け止める、あるいはそんな私を後押ししてくれると知っているから。最良のアートは声を失うほどに美しいという事実、それは私が嘲り続けたところで微動だにしない。自分には美しいものを探求する義務がある。そんな仕事をしているなんていかに恵まれたことか、私はよく自分に言い聞かせている。私はまた、インターネットによって経済やテクノロジーの大変動を経験した音楽や文学、ジャーナリズムなどとは別の分野でキャリアを築いたことも幸運だったと思う。実際、このデジタルの時代において、人びとはこれまでよりも意識的にアートギャラリーを訪ね、実際にそこにある物体の存在に向き合っている（そしてその前でセルフィーを撮って、もちろんツイッターにアップする）。そして今、これまでに考えられなかったほどに、アーティストやディーラー、コレクターやキュレーターも増えている。

私が何かをつくり出す時の動機の大部分は、世界を観察し作品化する時に感じる興奮や喜びを伝えたい、というものだ。もしあなたが少しでも、「ファインアートの文脈」に乗ってみたいと思ったのなら、それ以上に嬉しいことはない。そして、現代アートの作品に向き合い、どう反応して良いのかわからなくなったら、私がよくやる思考のエクササイズを試してほしい。想像してみて、一〇〇年後、二二世紀の『アンティーク・ロードショー』〔骨董品を識者が鑑定するイギリスＢＢＣの長寿番組〕的な番組で、称賛を浴びるためにゲストが持ってきた作品がそれだとして、みんながなんて言うか。私はいつもそうしているから！

さて、ようやく本書も終わりにたどり着いた。私はアート界の根幹に関わる、誰もが思うような疑問に答えるようにしてきたつもりだ。私がこれを書いたのは、カーテンを開いてオズの魔法使いの正体を明かすように、トリックの種明かしをするためではなく、きっとこれらのことに興味をもってくれる人がいると思ったから。アート界を旅するカカシやブリキのきこりや臆病なライオンのような人たちが、エメラルドの都にたどり着いた時に少しだけ賢く、少しだけ勇敢になり、そしてもう少しだけその世界を好きになってほしかったから。

どうもありがとう、ここまでついて来てくれて。

Art Quality Gauge

使い方：アート作品の横にカードを掲げ、どの色が最も近いか見極め、その値を読みなさい。

テート

エルトン・ジョン邸の芝生

地方のアートフェス

イーストロンドンにある
ヒップスター御用達コーヒーバー

権力者邸宅のエントランス

ナショナルトラストのギフトショップ

ミルトン・キーンズの環状交差点

カーブーツセール

IKEA

ママ専用のベッドルーム

謝辞

以下の方々に深く感謝いたします

グウィネス・ウィリアムズ

ヒュー・レヴィンソン

ジム・フランク

モヒット・バカヤ

スー・ロウリー

サラ・ソーントン博士

チャーリー・ギア教授

セントラル・セント・マーチンズのミック・フィンチと

ファインアートの学生たち

カレン・ライト

マーティン・ゲイフォード

ポリー・ロビンソン・ゲール

ルイーザ・バック

ハンス・ウルリッヒ・オブリスト

マーティン・パー

ジャッキー・ドゥルー

カロリーナ・サットン

ヴィクトリア・ミロ・ギャラリー

訳者あとがき

原書『Playing to the Gallery』の刊行は二〇一四年で、翌年グレイソン・ペリーはロンドン芸術大学の総学長に就任している。ペリー自身も書いているが、彼は権威側の人間だ。そんな彼が美術界を皮肉たっぷりに弄ぶテキストをどこまで真に受けて良いのか、私自身も訳しながら疑問に思うことがあった。しかし最終章の翻訳作業中、感情が入りすぎないよう意識しながらも、私はその文章に胸を打たれていた。私自身もまた、子どもの頃に想像の世界、「フランスにある改装中の家」をもっていたから。それは当時遊んでいたいくつものロールプレイングゲーム世界をブリコラージュしたような、私のためだけにいくつものゲーム音楽が流れている世界だった。何冊ものノートに架空の地図やモンスターや武器防具を自己流で描いていた。その頃から感じはじめていた、しかし言語化できない不安や戸惑い、社会からの疎外感を忘れられる場所、あるいは社会を相対的に見るための場所。そこへ逃げる理由が何であれ（そしてそれは比較すべきことでもない）、多くの人がそのような場所をもっていたのではないだろうか。しかし、閉ざしてしまう。私は家族にノートを見つかり散々からかわれ、その世界を閉ざした。

そして二〇歳の頃ひょんなことからカメラを手にし、留学先の大学で二二になって明確な目的もなく写真を学びはじめた。ある教師が何かを察したのかフェリックス・ゴンザレス＝トレスやキャサリン・オピーのようなセクシュアルマイノリティの作家を教えてくれ、彼らに学び自分もまた作品をつくることで、息苦しさから解放された。初めてコマーシャルギャラリーで個展を開催することになり、オープン前の設営作業をしていた数日間は、きっと自分にとって最も満ち足りた時間のひとつだったと思う。居場所を見つけた、と思えた。私は確かに美術によって救われた。もちろんそのような作用が美術のすべてであるわけではないし、作品でそれを前面に出しすぎても暑苦しいだけだろう。それでも美術の文脈に向き合い、歴史に向き合い、他の作家の影響を受けたりしながら、ときに回りくどい方法で、子どもの頃、一〇代の頃に感じていた、言葉にできないあの感覚を言語化し形にする術を探り、今もその途上にいる。

美大に入れば、美術を学べば誰もが救われるわけではない。それに、ここで書かれているのはイギリスの美術や美大のことで、必ずしも日本の状況とは合致しない。それでも、美大という選択肢があるということ、近くに「The Art Room」のような居場所があるかもしれないということで、安心感を得る子どもや若者もいるのではないだろうか（ペリーがなぜ「The Art Room」にここまで心を動かされているのか、『男らしさの終焉』に書かれた幼少期のことを読めば理解できるはずだ）。一方で、経済的な理由や地理的な理由など、さまざまな要因でそのような場へのアクセスすら断たれている人も多くいる。「フランスにある改装中の家」だって、所有し続けることが良いことなのか。繰り返しになるが美術が万人を救えるわけでも、万人に影響を与えるわけでもないだろう。しかし、例えば町の小さな本屋の一角や図書館で本書を手にして、何かを感じてくれる人がいたら……と、訳者として少しの希望とともに想像する。かつて南の小さな島で、ゲーム世界に浸りながら海の向こうを夢見ていた誰かのような人間が。

翻訳作業を進めながら、contemporary artを現代アートと訳すたびに、どこかむず痒い思いがしていた。自分の作品や活動について語るとき私は現代美術を使い、現代アートという言葉を避けていた。この言葉がまとってしまった軽さに戸惑いを感じてしまうからだった。本文中でも語られるように、それは英語圏でも同様だろう。もっとも、漢字だからかしこまって見える、という感覚もどうかとは思う。

本書の原題は『Playing to the Gallery』、観客＝ギャラリー受けを狙った、大衆に媚を売るような演技＝プレイという意味の成句だ。もちろん、「(アート）ギャラリー」や「遊び」もタイトルには含意されているだろう。美術入門書（と私は解釈している）にしてはあまりにも意地悪なタイトルをどう日本語にするか……頭の片隅で考えを巡らせながら翻訳を続けていて思いついたのが、『みんなの現代アート』という皮肉めいたあまりにも軽い響きのフレーズだった。しかし最終章を訳しながら、相応しいタイトルかもしれないと感じた。ナイーヴすぎるかもしれないが、その感覚を信じてこのタイトルを提案してみた。最終章まで読めば、きっとこのタイトルが示す皮肉と軽さ以外の何かを感じ取ってもらえるはずだから。

最後に、美術作家である私に声をかけてくれた編集者の臼田桃子さん、イギリスの教育制度について教えてくれたリチャード・ビヴァンさんとタムシン・クラークさん、そして英文の細かいニュアンスについてアドバイスをくれたベン・デイビスさんに感謝いたします。

ミヤギフトシ

二〇二一年七月

グレイソン・ペリー

Grayson Perry

1960年イギリス生まれ、ロンドン在住のアーティスト。グレイソン・ペリーが初めて受け取った賞は、1980年に大学で行ったパフォーマンスアート作品の一部として自分自身に授与したハリボテの大きな頭。それ以降、2003年のターナー賞を含む、数多くの賞を受賞。イギリスで最も名の知れたアーティストのひとりであり、世界各地で個展を開催している。本書の元となったBBCラジオ「リース・レクチャー」での講義は同番組始まって以来一番の人気となった。6つのタペストリー作品の制作過程を記録したChannel 4のドキュメンタリー「The Vanity of Small Differences, Best Possible Taste（小さな差異の虚無、最高に近いセンス）」で英国アカデミー賞を受賞。同作でグリアソン・ドキュメンタリー賞のベストプレゼンターにも選出されている。邦訳書に『男らしさの終焉』（フィルムアート社、2019年）。

ミヤギフトシ

現代美術作家。1981年沖縄県生まれ、東京都在住。2006年ニューヨーク市立大学・シティカレッジ美術学部卒業。アーティストランスペースXYZ collectiveの共同ディレクター。国籍や人種、アイデンティティといった主題について、映像、オブジェ、写真、テキストなど多様な形態で作品を発表。2019年に小説『ディスタント』（河出書房新社）を刊行。

みんなの現代アート
大衆に媚を売る方法、
あるいはアートがアートであるために

2021年8月26日　初版発行
2022年4月28日　第三刷

著 者：グレイソン・ペリー
訳 者：ミヤギフトシ

ブックデザイン：鈴木千佳子
DTP：近藤みどり
日本語版編集：臼田桃子（フィルムアート社）

発行者：上原哲郎

発行所：株式会社フィルムアート社
〒150-0022
東京都渋谷区恵比寿南1-20-6　第21荒井ビル
tel 03-5725-2001　fax 03-5725-2626
http://www.filmart.co.jp/

印刷・製本：シナノ印刷株式会社

　ISBN978-4-8459-2014-3　C0070